APRENDE A QUERERTE

Daphne Rose Kingma

autora de *Encontrar el verdadero amor*

Aprende a quererte

Desarrolla el trabajo más importante
que puedes hacer en tu vida

URANO

Argentina - Chile - Colombia - España
Estados Unidos - México - Uruguay - Venezuela

Título original: *Loving Yourself*
Editor original: Conari Press
Traducción: Alicia Sánchez Millet

Copyright © 2004 *by* Daphne Rose Kingma
    First published by Conari Press, an imprint of Red Wheel / Weiser,
    York Beach, ME USA as Loving Yourself.
© 2005 de la traducción *by* Alicia Sánchez Millet
© 2005 *by* Ediciones Urano, S. A.
Aribau, 142, pral. - 08036 Barcelona
www.edicionesurano.com
www.mundourano.com

ISBN: 978-84-7953-598-8
Depósito legal: B. 37.589 - 2007

Fotocomposición: Ediciones Urano, S. A.
Impreso por Romanyà Valls, S. A. - Verdaguer, 1 - 08786 Capellades (Barcelona)

Impreso en España - *Printed in Spain*

Dedicatoria

Para ti, porque al fin has decidido quererte
y porque tu alma sabe que no se merece menos.

Y a la memoria de mis padres,
Jan Willem y Gezina Stuart Kingma,
quienes por tan poco dieron tanto.

Índice

Agradecimientos

Mi más sincero agradecimiento y aprecio a Jan Johnson, de Conari Press, por haberme dado la energía e inspiración necesarias para escribir este libro. Toda mi gratitud y mi más profundo agradecimiento a Mary Jane Ryan, por volver a compartir generosamente conmigo su buen hacer editorial. También quiero dar las gracias a Don y Ana Li, por recibirme siempre con los brazos y el corazón abiertos. Todo mi amor y agradecimiento a Molly, que trasladó nuestra vieja mesa de roble a su nuevo comedor rojo, para que pudiera sentarme allí y escribir con el perro a mis pies. Mi amor y agradecimiento a Moe Bruce, Maureen McCarthy y Zelle Nelson por acogerme, por su cariño, buen humor y, por supuesto, por todas sus preguntas. Mi más profundo agradecimiento a Rebecca Witjas por acompañarme a Bután y también a Karma Gayley por la belleza de nuestro *trekking*. Gracias de todo corazón a B. J. Hambleton por su valiosa amistad, por su amor y su ánimo durante todo el camino y un ramo de rosas simbólicas en señal de gratitud a Diane Dickerson. Tu generosidad al ofrecer la luz de tu alma y tus habitaciones han permitido que este libro naciera de la alegría. Diane, si todos pudiéramos querernos a nosotros mismos con esa pureza y dulzura con la que quieres a todos los que se cruzan en tu camino, éste sería un mundo de exquisita ternura. Gracias por tu sincera hospitalidad.

PRIMERA PARTE

Avanzar mirando atrás

1

Por qué necesitas y te mereces tu propio amor

«Tú, al igual que cualquier otro ser del universo,
mereces tu amor y tu afecto.»

BUDA

Sólo hay un ser como tú. Eres muy valioso, una expresión irrepetible de la mente de Dios. Tal vez sea desconcertantemente simple decir que nunca habrá nadie como tú, pero así es. No existe otra persona que vea el mundo como tú, cuyos sentimientos conmuevan tu corazón como lo hacen los tuyos. No hay nadie, por parecido o conocido que sea, cuyos días y años sean idénticos a los tuyos, nadie que pueda alimentar tus sueños, que pueda sentir en lo más profundo revolotear tus esperanzas como mariposas en torno a tu corazón o quedar aplastadas por la mano de un extraño.

Aunque todos vivamos miles de vidas —y hay muchas personas en el mundo que así lo creen—, la persona que eres en cada una de ellas no es *este* yo, con este nacimiento, estos ojos, estas manos y este sufrimiento que elaborar, con estos padres, hermanos y hermanas, talentos, dones que ofrecer, este preciso número de días, horas y minutos, entre el instante en que se inscribe tu nombre en el registro de nacimientos hasta el día que lo gravan en tu lápida.

Tú eres el único que tiene la oportunidad excepcional de conocerte realmente y descubrir tu camino hermoso y exclusivo. Los demás pueden hacerte de espejo y mostrarte aspectos de ti mismo que puede que hayan estado ocultos durante mucho tiempo, pero jamás te ofrecerán una imagen completa de ti, de ese ser que es tuyo para poseerlo, utilizarlo, manifestarlo y liberarlo cuando hayas agotado tu tiempo en este mundo.

Puedes amar a los demás, cuidarles, animarles, apoyarles, escucharles, reconfortarles, hacer chistes, discutir y llorar con ellos —eso espero—, pero todos esos regalos de dicha, respeto y apoyo que ofreces a los otros también te los mereces tú. Necesitas el amor que sólo tú puedes darte.

Comienzos difíciles, raíces profundas

No hace mucho fui a una fiesta y mencioné que estaba escribiendo un libro sobre quererse a uno mismo. Vi que muchas cabezas se volvían hacia mí. «Eso es un tópico —me dijo una mujer que estaba cerca—. ¡Quererse! Yo todavía lucho contra el odio que siento por mi persona. Es un gran agujero negro que llevo años intentando superar.»

Hay miles de razones para no querernos. Todas las personas tienen al menos una, cuando no cientos. Estoy demasiado gorda o delgada. Lloro con demasiada facilidad o no puedo llorar. Me dan miedo el éxito y el fracaso. Soy estúpida. No soy lo bastante buena en algo, ni atractiva, poderosa, alta, valiente ni interesante. Nos convencemos de que no merecemos la vida que deseamos.

¿Recuerdas el proverbio «Amarás al prójimo como a ti mismo»? Quizá queremos tan poco a nuestros vecinos porque nunca hemos aprendido a querernos. Quizás intentamos sacar amor de un yo que pasa hambre. Quizá para reparar nuestra habilidad para amar a los demás tengamos que empezar desde cero, por nosotros mismos.

Yo siempre había sentido que estaba de más, que de hecho era una carga para mi familia. No era que mis padres no me quisieran; ambos me expresaron su amor muchas veces de formas muy bellas. La razón era que nuestras circunstancias eran complicadas. Éramos cinco hermanos, yo era la menor, la cuarta niña de una familia que tenía problemas para llegar a fin de mes. Cuando todavía era muy pequeña, todas mis hermanas enfermaron, dos de ellas con dolencias muy graves y otra con una prolongada neumonía. Recuerdo que mi madre estaba tremendamente preocupada y cuidaba ella sola a todas sus hijas enfermas. Cada día esperaba pacientemente en la escalera a que me llegara el turno de comer. En esos momentos, me sentía mal al ver que después de haberse ocupado de todos y de todo, todavía había una persona que requería su atención, es decir, yo. ¿No habría sido todo más fácil, se preguntaba mi subconsciente, si no hubiera nacido?

Más adelante, esta creencia se fue reafirmando y de adolescente, cuando veía a mis hermosas hermanas, llegaba a la conclusión de que mis padres tenían demasiadas hijas. Todavía teníamos bastantes problemas económicos y me parecía que mi presencia, mi mera existencia, era una carga para mis padres, que hacían verdaderas maravillas para llegar a todo. Mi respuesta a esa situación fue intentar ahorrarles el máximo tiempo, espacio, dinero y cuidados posibles. Practiqué el arte de ser invisible. Intentar desaparecer se aleja mucho del acto de quererse.

La mía no es más que una de tantas experiencias de los seres humanos, muchas de ellas bastante más crueles y con mayores repercusiones, que nos impiden dirigir nuestro amor hacia nosotros mismos. Soportamos esas experiencias y nos convertimos en adultos, y se espera que amemos a los demás como a nosotros mismos, pero por desgracia la mayoría de las personas carecemos de la habilidad de querernos. Esto tiene implicaciones profundas no sólo en nuestra capacidad para ser felices y sentirnos satisfechos en la vida, sino en nuestra habilidad para amar a los demás.

Si no hemos aprendido a querernos, seguiremos encallados en el primer peldaño de la escalera. No sabremos cómo tratar a los demás y tendremos problemas con lo que denominamos «fronteras». Nos hundiremos en las ciénagas de la baja autoestima y nos enredaremos en la maleza del autodesprecio, que harán infructuosos nuestros esfuerzos por «amar a los demás como a nosotros mismos». Lo que me ha inspirado a escribir este libro ha sido mi caminar por el sendero hacia la autoestima, así como ser testigo del viaje de otros.

Para recorrer este camino en primer lugar hemos de comprender que quererse no es narcisismo. No es egotismo, avaricia, creerse superior, egocentrismo, tozudez o engaño, todos ellos adjetivos que han dado muy mala fama al quererse a uno mismo. Más bien al contrario, es la alegría de una primavera que puede convertirnos en seres auténticos.

Amarse es también algo misterioso, pues cuando se aprende ya no es algo que requiera un esfuerzo consciente. Mediante el recuerdo constante de nuestra importancia, de lo esencial que es querernos, llegamos a ese lugar en el que la compasión resulta algo natural. Desde ese centro de silenciosa aceptación, a través de la práctica de cuidar de nosotros mismos incondicionalmente, podemos llegar a amar a los demás con una deliciosa generosidad y el corazón abierto de par en par.

El acto de querernos está por encima de cualquier otra consideración espiritual. Sólo cuando nos vemos y sentimos como uno de los hilos del vasto tejido que forma la humanidad, cobijados incondicionalmente por un protector y hermoso universo, podemos amarnos *realmente*. Sentirnos parte de este preciado universo es, sin lugar a dudas, la fuente de nuestro amor hacia los demás.

Recientemente, durante un viaje por Italia, conocí a un médico holístico que dirige seminarios de práctica espiritual y para aprender a cuidarse. Cuando le pregunté cuál era el principal problema con el que se encontraba en su práctica médica, respondió al momento: «La gente no sabe quererse».

Tanto si esta falta endémica de amor hacia uno mismo adopta la forma de una afección física —obesidad, adicción y los miles de enfermedades que tienen su origen en problemas emocionales no resueltos— como si se manifiesta como lo que denominamos problemas «psicológicos» —baja autoestima, relaciones conflictivas, problemas económicos—, es evidente que nuestra falta de destreza en amarnos se ha convertido en una epidemia.

De hecho, una vez oí decir a una persona con un alto grado de desarrollo espiritual que no le costaba meditar seis horas al día, desprenderse de todas sus posesiones y servir a su maestro espiritual, pero cuando éste le preguntó si se amaba, se dio cuenta de que no. Al tener que responder a la pregunta de su maestro se enfrentó a las limitaciones de su capacidad de amar.

No importa si has empezado tu lucha por quererte por circunstancias difíciles en tu vida o por trances emocionales o espirituales, la herida es profunda. Para la mayoría querernos es nuestro principal problema emocional.

He escrito muchos libros sobre el amor: cómo amar en una relación, cómo vivir el final de la misma, cómo dar a tu amor y a tus relaciones una dimensión espiritual, cómo pueden hombres y mujeres aprender a amarse y a entenderse mejor, cómo podemos querer a personas con personalidades diferentes a la nuestra y cómo todos nuestros romances están infundidos de ese gran Amor que es la luz de la propia existencia.

No obstante, todas estas recomendaciones sobre el amor parten de la premisa de que ya sabemos amarnos, apreciarnos, percibirnos, complacernos, honrarnos, valorarnos, estimarnos, alabarnos, cuidarnos, identificarnos con nosotros mismos e incluso respetarnos. Si eres como yo y como muchas otras personas, probablemente todavía no seas un experto en el mayor acto de amor de tu vida. Por eso, te invito a seguir conmigo este proceso de descubrimiento.

Este libro es un viaje cuyo destino eres tú, te ayudará a descubrir cómo te perdiste y, por lo tanto, cómo perdiste tu habilidad de amarte. Es un mapa hacia la belleza, la gracia y la fuerza que hay en ti. Es *le beau chemin*, el buen camino por el que tendrás que viajar para recuperarlas.

Amarte, acoger y respetar realmente a tu propio ser, es la meta final de tu existencia. Aunque ese proceso pueda parecer complejo, en el fondo no lo es. Se trata de seguir cuatro sencillos pasos en un viaje de autodescubrimiento: hablar claro, *acting out* o actuar, hacer limpieza e iniciar el camino. En la segunda parte de este libro describo estos cuatro pasos.

Las breves historias que relato en los siguientes capítulos ilustran con ejemplos los pasos que otros han seguido en su senda hacia la compasión. Puede que no sean exactamente los que tú hayas de tomar, pero sin duda te ayudarán a encontrar la dirección correcta. Espero que te sirvan de inspiración y te recomiendo que las adaptes para ti, toma las partes con las que te identifiques y utilízalas para emprender la acción.

Cambiar requiere valor. Actuar con valor, es decir, comportarse de maneras que no nos son familiares o que incluso nos asustan, es lo que suscita el cambio. Una vez hayas sobrepasado —en pensamiento, palabra y acto— tus propios límites, empezarás a funcionar de una forma nueva y diferente. Este cambio en tu conducta afectará profundamente a la manera en que te percibes. El desánimo o la autocrítica darán paso al amor.

Con esto presente, con mi apoyo y mi amor, te insto a que des estos cuatro pasos en tu camino hacia la compasión.

¡Qué disfrutes del viaje y que cuando hayas llegado a tu destino tu corazón esté lleno de *Ti*!

2

¿De qué formas no me quiero? Voy a enumerarlas

«¡No puedo creer lo cruel que soy conmigo!»

MUJER DE 36 AÑOS QUE SE RECUPERA DE UN INTENTO DE SUICIDIO

No quererse es un problema universal. Lejos de ser nuestro secreto mejor guardado, es un malestar general que va en aumento, algo que si se nos da la oportunidad todos estamos dispuestos a confesar: «¡Vaya, a ti también te cuesta quererte; pensaba que yo era el único!»

Si es cierto que tanto nos cuesta amarnos, si asentimos sorprendidos cuando el médico italiano nos confirma la existencia del problema y si las personas que estaban en la fiesta celebraron que hablara de este tema, la pregunta es: ¿cómo hemos llegado a estos extremos? ¿Y por qué no hemos podido hacer algo al respecto? ¿Por qué nos sentimos tan incómodos en nuestra piel y por qué nos ponemos la zancadilla con tantas forma de autosabotaje?

¿Por qué cuando nos damos cuenta de este horrible trato seguimos sin poder evitar nuestra orgía de autocrítica? ¿Por qué en nuestros diálogos internos —esas largas conversaciones nocturnas que a veces mantenemos con nosotros mismos— somos tan salvajes, eludimos decirnos todo lo bueno y hermoso y nos recordamos sólo lo malo, feo y descorazonador? ¿Por qué? ¿Hemos llegado a aceptar toda esta conducta de autonegación como algo sencillamente inevitable porque creemos que las cosas son así?

Una forma de hallar la respuesta es revisar todas las formas en que nos torturamos. Detengámonos unos minutos para sacar los demonios a la luz a fin de contemplarlos cara a cara antes de dejarlos atrás. Te animo a que repases esta lista sin juzgarla. Simplemente observa, con compasión si puedes, cuántas de estas cosas te haces. Ser consciente es el comienzo de la sanación.

Autocrítica

Tengo la nariz demasiado grande, demasiado pequeña, aguileña, puntiaguda. Tengo los ojos demasiado oscuros, claros, juntos o separados. Estoy demasiado gorda. Demasiado delgada. Soy fea. ¿Por qué me puse esa blusa tan elegante?, ¡demasiado arreglada! ¿Por qué me puse esa sudadera vieja?, ¡demasiado usada! Soy demasiado sosa, una plasta. Debí esforzarme más. No tenía que haberme preocupado. No tenía que haber dicho eso. Debí haber sido más agradable. Más agresiva. Menos directa. Me he gastado demasiado dinero en ese hotel, en esta casa, en este coche. Tenía que haber ido a un hotel más caro, haberme comprado esa casa de campo, esa bicicleta. Debí haberle pedido una cita a esa chica. Fui tonta al enamorarme a primera vista. El mayor error de mi vida fue casarme con ella. Tenía que haber sido más paciente con mi madre. Tenía que haberme enfadado con mi padre. Tenía que haberle echado la culpa. Debí agradecérselo más. Debí perdonarlo antes de que muriera.

La autocrítica es hablar mal de uno mismo y, en general, valorarse de una forma negativa. Es castigarse verbalmente por el mero hábito reflejo de hacerlo y de caer en él sólo porque nos resulta familiar meternos con nosotros mismos y menospreciarnos. Te ves a través de la autocrítica, no te aceptas y no te consideras digno de tu amor.

Culparse

Yo tengo la culpa de que mis padres se pelearan continuamente, no era una buena hija. Tengo la culpa de que mi hijo esté enfermo, no impedí que jugara con aquel niño que estaba resfriado. Tengo la culpa de que mi marido esté gordo, no le hago comidas saludables. Tengo la culpa de que mi esposa sea desgraciada, no gano suficiente dinero. Mi equipo favorito no ganó por mi culpa, no llevé mi gorra de hincha. Ayer noche nevó por mi culpa, no recé a los dioses del buen tiempo. Si la casa se quema será por mi culpa, porque no compruebo las conexiones eléctricas cada semana. Tengo la culpa de que la economía se hunda, no he administrado bien mi dinero. Tengo la culpa de que el agujero de la capa de ozono cada día sea más grande, no uso la laca adecuada.

Culpabilizarse, variante de la autocrítica, es imaginarte —no estar absolutamente seguro— de que todo lo que está mal es culpa tuya. Es elegir responsabilizarte de todo aquello que no funciona, en lugar de buscar las causas en las circunstancias normales de la vida o en las personas que son realmente responsables. Cuando tu forma de no quererte es culpabilizarte, te consideras el causante de todos los problemas.

Desprecio

No valgo nada. No soy especial. No hago nada por el mundo. No tengo ningún talento especial. No escribo bien, ni canto lo bastante alto o corro lo bastante rápido. Sí, he pintado ese cuadro, pero es horrible, ni la composición ni los colores son buenos. Sé bailar el tango, pero ¿qué sentido tiene? Soy perezosa. ¡Qué más da que esté criando a tres hijos, trabajando a tiempo completo y cuidando de mi anciana madre, podría hacer muchas más cosas! No hablemos de mi bondad y amabilidad, hay muchas personas que dedican su tiempo a la iglesia, hacen obras de caridad o dejan pasar a otras personas en la cola de la caja en el supermercado. ¡Por favor, no me digas que tengo los ojos bonitos, el pelo brillante o un alma pura! No es así. Mira la tele y las revistas, ¡no me parezco a las mujeres que aparecen en ellas! ¡Nunca podría ponerme eso!

Cuando te menosprecias, no te respetas. Tus habilidades, acciones, aficiones, por normales que te parezcan, son tu esencia. Esas cualidades reflejan lo extraordinario que eres, lo que tienes que dar. Al negar tus dones no honras tu espíritu. Los medios de comunicación nos agreden a diario, a todas horas, con mensajes de que si no compramos sus productos, tenemos un cuerpo perfecto o vemos el mundo a su manera, no somos lo bastante buenos. Esta información contamina nuestro precioso cerebro y si tu autoestima flaquea, refuerza tu desprecio por ti. Rendirse a esta agresión de los medios de comunicación es una forma de desprecio hacia uno mismo.

Dudar

No cabe duda de que tengo años de experiencia, pero es mejor buscar a alguien más cualificado para este trabajo. No soy lo bastante divertido para presentarme en ese espectáculo nocturno de humoristas aficionados. No soy lo bastante inteligente para aprender a utilizar un ordenador y si lo intentara estoy segura de que lo estropearía. No soy lo bastante inteligente para presentarme en la facultad de derecho, si lo hiciera seguro que me rechazarían. No soy capaz de enfrentarme a mi compañero de trabajo y, pensándolo bien, quizá no fuera su intención robarme la idea y presentársela al jefe.

Si dudas de ti es que eres muy inseguro. Cada vez que se te presenta un reto, un obstáculo o una oportunidad, en lugar de dar un salto te quedas inmovilizado. La duda bloquea todo intento de cambio. Además hay muchas probabilidades de que tus dudas no se basen en datos empíricos, simplemente no te valoras lo suficiente para arriesgarte a hacer algo nuevo y confiar en que tus posibilidades de éxito sean buenas o mejores que las de cualquier otra persona. En verdad, el fracaso es uno de los posibles resultados de cualquier empresa, pero no el único. La inseguridad es la falta de amor en acción, porque implica que esperas un resultado negativo. La duda no confía en la felicidad, en la posibilidad o en un resultado positivo para ti.

Carencia

Aunque hace un día espléndido, creo que me quedaré en casa trabajando. Compro un champú de marca para mi hija, pero yo me compro uno más barato. Me encantaría tener este perfume, pero pensándolo mejor, creo que sorprenderé a mi hermana con un regalo. Me gustaría comprarme un vestido para la fiesta, pero ¿para qué?, en realidad no lo necesito. Tomaré postre, pero sólo si tú también lo tomas.

Cuando vivimos con carencias, nos convertimos en huérfanos. No nos concedemos los placeres ni las bendiciones de la vida. Todo el mundo, incluido tú, se merece disfrutar de las cosas buenas de la vida, grandes o pequeñas. Tratarte como si no te merecieras lo mejor, o incluso nada, impide que goces del don de disfrutar de ti mismo, de los demás y de la propia vida.

Autodestrucción

Me estoy suicidando al fumar un cigarrillo tras otro. No necesito controlar mi problema con el alcohol. Estoy agotado, y aún me queda una hora más en el ordenador, en el centro comercial, delante de la tele, en la oficina. Como ya estoy gordo, ¿qué más da si me como otro helado? Intentaré ayunar un día más. Perderé más peso y así le gustaré.

Hay muchas formas de no querernos *físicamente*, de hacernos cosas que jamás se nos ocurriría hacer a otros. Cuando somos autodestructivos, nos ponemos en situaciones en que es muy probable que el resultado sea justamente lo opuesto de lo que necesitamos: salud, felicidad, confianza, aire fresco, esperanza.

Lamentarse

¿Por qué siempre me pasa esto? ¿Por qué sólo me pasa a mí? Esto es un castigo de Dios. Soy la única persona que se siente así. Estoy tan hundido que nadie puede consolarme. Espero que nadie lo intente. No tengo remedio. ¿Por qué es tan dura mi vida?

Lamentarse es una forma de deshonrarse, de menospreciar la grandiosidad, lo perfecto, la capacidad de superarse a cada momento. Lamentarse es una emoción condescendiente. En vez de ver las heridas y frustraciones de tu vida como un motivo de tristeza, dignas de tu amor —y del de los demás—, como una herramienta para moldear tu vida y tu carácter, te identificas con ellas y te consideras un ser humano insignificante, inepto y digno de lástima.

Narcisismo

Ahora que ya te lo he contado todo de mí, hablemos de ti, ¿qué piensas de mí? ¿Qué te parece mi nuevo corte de pelo? No puedo creer que haya dejado que me lo corten tanto. Esta boda es bonita, pero la mía fue fantástica. Tuvimos el mejor servicio de restauración, tenías que haber visto las flores. ¿Por qué no me llama? No puedo creer que no me haya llamado. Tuvimos una de las mejores citas de mi vida. Mi nuera es una mala madre para mi nieto. Si yo hubiera educado así a mi hijo ella nunca se hubiera casado con él.

Puede que algunos crean que el narcisismo tiene que ver con quererse a uno mismo, pero en realidad es todo lo contrario. A los demás les resulta tedioso y agotador. De hecho, en lugar de conseguir esa atención que te hace sentir querido, el narcisismo provoca rechazo y, con el tiempo, pérdida de las amistades, lo cual conduce a un sentimiento de abandono. El narcisismo es una cortina de humo, es una falsa publicidad que deja sin voz a la persona real y bella que hay en nuestro interior, para que exprese sus temores, necesidades, esperanzas, sueños y aspiraciones. El narcisismo es un viaje con billete de segunda, una imitación del verdadero quererse. Es creado, dirigido y protagonizado por el yo irreal.

Todo se reduce a una baja autoestima

Si te identificas con una o más de las conductas mencionadas, probablemente padeces baja autoestima. Esto significa que en el fondo sientes que no te mereces más. Tu opinión acerca de ti mismo nunca se eleva al nivel de la grandeza. De lunes a domingo piensas que no vales la pena. En lugar de brillar, siempre estás triste, eres la persona que quiere ser o que ha sido algo. No eres protagonista, ni nunca lo serás. No formas parte del resto de la humanidad. Simplemente no crees en ti.

Puede que además tengas otras formas de no quererte. Por desgracia, muchos somos grandes maestros del arte del menosprecio. Sea cual sea el método, cada uno de estos hábitos de baja autoestima es un síntoma de algo mucho más profundo, algo que tiene sus raíces en la infancia. Hasta que no seas capaz de ver lo que hay detrás de tus conductas de negación y no te des cuenta de cómo las adquiriste, será difícil que puedas quererte.

Se exprese como se exprese tu falta de autoestima, puedes empezar a cambiarla al entender por qué has llegado a ser tan duro contigo mismo. La comprensión siempre es la clave para la sanación emocional.

3

¿Cómo he llegado a ser así?

> «El miedo es ese cuarto oscuro
> en el que se revelan los negativos.»
>
> MICHAEL PRITCHARD

Los niños siempre siguen el ejemplo de sus padres. Nos tratamos emocionalmente como nuestros padres nos trataron a nosotros. Si ellos nos trataron como si no mereciéramos su amor —aunque no fuera intencionadamente—, no nos sentiremos dignos de nuestro amor. Esto será así hasta que *conscientemente des los pasos necesarios para cambiar tus sentimientos respecto a ti.*

Últimamente se habla mucho de las «familias desestructuradas», como si la mayoría de las familias estuvieran *estructuradas*, como si sólo estuvieran desestructuradas las familias raras o con problemas especiales, cuando lo cierto es que todas las familias lo están de un modo u otro. La mía lo estaba. La tuya también. En última instancia no es culpa de nadie. Nuestros padres tienen defectos porque ésa es la naturaleza humana. A nadie le han amado como quería o ni tan siquiera lo suficiente. Así son las cosas. Ésa es la razón por la que como parte del desarrollo de nuestra grandeza como seres humanos hemos de emprender la tarea de aprender a amarnos. Es un trabajo interior. Implica adentrarnos en nuestras profundidades y conocer esa alma maravillosa que merece nuestro apoyo, cuidado, afecto, perdón y compasión.

Todas las cuestiones del quererse están relacionadas con nuestro sentido de valía, que se crea en una fase muy temprana. Cuando somos pequeños dependemos de nuestros padres para que nos protejan. Cuando de un modo u otro ellos no son capaces de hacerlo, inconscientemente creamos el concepto de que no merecemos su amor. No somos capaces de reconocer que no son aptos o inadecuados, que tienen limitaciones humanas. Tampoco somos capaces de pensar que quizás ellos sufren por lo que experimentaron con sus padres. Por el contrario, decimos: «Si no me quieren del modo en que necesito que lo hagan, es culpa mía. Debo de ser despreciable». De niños siempre interpretamos la falta de amor como culpa nuestra.

Ésta es la razón por la que la niña que se queda en la escalera esperando su comida no puede pensar: «Mis padres están en un apuro, las circunstancias les superan». Por el contrario piensa: «Sería mejor que no hubiera nacido». El hijo de una familia de diez hermanos piensa que está de más; el hijo de un profesor brillante y ocupado crece pensando que no es lo bastante inteligente; el hijo de un padre alcohólico y furioso piensa que su padre no bebería si el se portara bien; el hijo de una madre que ha renunciado a su carrera como modelo de alta costura se siente culpable de que su madre haya perdido su figura después de su embarazo; la hija cuya madre es sorda no se siente digna porque su madre no puede oírla; el adolescente que vive en un gueto se considera una carga porque su padre ha desaparecido.

Dignidad y miedo a la muerte

En cierta manera, los sentimientos de no ser digno están vinculados a nuestro instinto de supervivencia. En el plano psicológico funciona del siguiente modo: si soy una buena niña, si soy perfecta, mis padres me querrán. Si me quieren, me cuidarán. Si me cuidan, sobreviviré y llegaré a ser todo aquello que se supone que he de ser. Por otra parte, si no soy lo bastante buena, no me querrán, no me cuidarán, no sobreviviré, me rechazarán y moriré.

No es un miedo del todo irracional. De pequeños, dependemos por completo de nuestros cuidadores para nuestra supervivencia. De algún modo lo sabemos. De forma natural, sabemos que es mejor que nos portemos bien o de lo contrario...

En mi caso, por ejemplo, mi miedo infantil era que como mi madre trabajaba en exceso y estaba agotada podía olvidarse de darme de comer y entonces yo me moriría de hambre. Mi amigo Tom, hijo de un alcohólico colérico, solía recibir palizas y agresiones con cualquier objeto que su padre tuviera a mano y sentía con toda razón que su vida estaba en peligro. Mi amiga Jane, cuando se enteró de que su madre había intentado abortar durante su embarazo, sintió, también con razón, que en algún momento su progenitora había deseado su muerte.

Tanto si el peligro es real como si no, el fondo de todo esto es que mentalmente creemos que hemos de ser adorables para sobrevivir. Así es cómo nuestro sentido de valía se relaciona con un miedo inconsciente a la muerte. Ésta es una de las razones por las que cuando somos adultos nuestros actos de desprecio hacia nuestra persona pueden resultar tan crueles. Cada vez que no nos queremos recreamos ese sentimiento de no ser queridos que teníamos de pequeños. Esto hace que una vez más sintamos que nuestra vida corre peligro. Tenemos miedo de tratarnos tan mal que tememos llegar a morir por no saber querernos.

El tema de tu vida

Todas las personas tenemos un tema en la vida, un asunto psicológico importante que rige nuestra existencia. Ese tema surge cuando algún acontecimiento relevante afecta a una fibra sensible en nuestra infancia y se refuerza a lo largo de nuestra vida con acontecimientos similares, hechos con la misma carga emocional.

Si de pequeña tu madre te dejó sola llorando en la puerta de tu casa porque pensaba que si obtenías la atención siempre que quisieras te convertirías en una niña mimada, es muy probable que experimentaras sentimientos de abandono que ni tan siquiera sabías expresar. Puede que pase mucho tiempo —muchas experiencias o relaciones— sin que te des cuenta de cómo te afectó aquello. Pero al cabo de unos años, cuando tu novio haga su tercer viaje de negocios en un mes y se olvide de tu cumpleaños, «de pronto» te entrarán ganas de gritar porque te sientes abandonada. Cuando te sucede esto, estás experimentando el tema de tu vida, el abandono.

El tema de tu vida puede surgir de las peculiaridades de tu familia, de las características particulares de tus padres y de sus limitaciones, de la dinámica emocional entre tú y tus hermanos o de cualquier otra circunstancia. No importa cuál sea tu tema, éste afectará profundamente a tu autoestima y a tu capacidad de amarte.

Aunque todos tenemos una variante personal, los temas de la vida se pueden clasificar en seis categorías y, en general, hay un tema que es el más significativo para tu desarrollo. Los principales temas de la vida son:

- Desatención.
- Abandono.
- Maltratos.
- Rechazo.
- Asfixia emocional.
- Carencias.

Cada uno de estos temas tiene un poderoso efecto en tus sentimientos hacia ti. Tal como hemos visto, la razón de que pienses que no mereces ser amado debes buscarla en la infancia; de adulto, esa cuestión se convierte en la esencia de tu incapacidad para quererte.

A medida que el tema de tu vida evoluciona con el tiempo, también desarrollas el sentido del propio valor. Abuso tras abuso, decepción tras decepción, creas un concepto de ti basado en el tema de tu vida y con el tiempo acabas confirmándolo, y haces de adulto exactamente lo que te hicieron de niño.

El tema de tu vida y tú: causa y efecto

Puede que todavía no hayas identificado el tema de tu vida. O quizá sea tan doloroso que sientes que es lo único que conoces de ti. Sea como sea, está íntimamente relacionado con el modo en que te tratas y es importante que ahora te familiarices con él. Cuando identificas el tema de tu vida, te das cuenta de cómo te ha afectado en el pasado y observas cómo tiende a seguir afectándote en el futuro, inicias un proceso de sanación que te permite aprender a amarte.

Desatención

> ¿Estuviste desatendido en lo que respecta a cuidados físicos, emocionales o espirituales? ¿Tu relación más significativa fue con el televisor?, ¿con los mejores amigos de tus padres?, ¿con las drogas o con el alcohol? ¿Era uno de tus padres alcohólico? ¿Vivías en una pocilga? ¿No te enseñaron tus padres a cuidarte, a lavarte la cara, a cepillarte los dientes y a peinarte?

Si estuviste desatendido, es fácil que sientas que no mereces las cosas buenas de la vida y que te descuides del mismo modo que te descuidaron cuando eras pequeño. Si te dejaron con la televisión como canguro, no hablabas nunca con tus padres o éstos no satisficieron tus necesidades básicas, probablemente no sabrás aportar experiencias positivas a tu vida para que te apoyen o te inspiren. Te descuidas.

Te sientes mal por no haberte comprado el abrigo nuevo, por no ir al gimnasio, por no estimular tu inteligencia con buenas películas o libros, por no encontrar amistades con las que hablar de las cosas que te interesan y, lo más importante, por si fuera poco, también te reprochas no prestarte más atención.

Abandono

¿Te abandonaron? ¿Murió uno de tus padres? ¿Estuvo ausente alguno de ellos durante mucho tiempo en tu infancia? ¿Tu padre o tu madre, o los dos, trabajaban tanto que apenas tenían tiempo para estar contigo? ¿Desapareció tu padre después de divorciarse de tu madre? ¿Fue tu madre quien lo hizo? ¿Te sentiste abandonado emocionalmente? ¿Nadie te escuchaba o se preocupaba de tus sentimientos?

Si fuiste abandonado, tenderás a abandonarte, es decir, a no defenderte o a no ser un aliado de ti mismo en situaciones en las que deberías hablar o actuar en tu nombre. Probablemente también te encontrarás en situaciones en las que te abandonan: tus amigos se marchan de viaje sin decirte nada, te casas con un adicto al trabajo que nunca está en casa, tu mejor amigo o amiga se traslada al otro extremo del país y deja de escribirte o llamarte.

En general, tiendes a entablar relaciones con personas que, por una razón u otra, no pueden estar a tu lado o serte fieles, y es más que probable que sientas que es culpa tuya.

Maltratos

¿Abusaron de ti sexualmente o recibiste maltratos físicos? ¿Te acosaron, pegaron o insultaron? ¿Te han criticado, menospreciado o se han burlado de ti? ¿Te han chantajeado emocionalmente? ¿Negaron o desatendieron la naturaleza, profundidad y sinceridad de tus sentimientos? ¿Decían de ti que eras «demasiado sensible»? ¿Eran tus padres narcisistas, es decir, estaban tan preocupados por ellos mismos que acaparaban toda la atención emocional y no te concedían ninguna a ti? ¿Se han aprovechado de ti espiritualmente? En otras palabras, ¿tienes algún don, intuición o percepción especial que haya sido descuidado o denigrado por tus padres o hermanos?

Si has sido objeto de chantaje emocional, tenderás a encontrarte defectos, a ser crítico contigo, a menospreciarte, a sentir que no mereces amor, consideración o el cuidado de los demás. Dejarás que te traten mal emocionalmente, que pisoteen tus sentimientos, te pondrás histérico en presencia de otros o permitirás que te critiquen, y probablemente te reprocharás que suceda todo esto.

Si han abusado de ti física o sexualmente, es más que probable que perpetúes esos abusos tratando mal a tu cuerpo, no lo alimentarás correctamente, engordarás, tendrás adicciones que te destruirán o te relacionarás con personas que te maltratarán. Es probable también que te culpes por no ser capaz de encontrar situaciones mejores y, una vez más, permitirás que te traten mal.

Rechazo

¿Te han rechazado alguna vez? ¿Deseaba tu padre o tu madre que no hubieras nacido? ¿Querían que fueras un chico en vez de una chica, o viceversa? ¿Fuiste siempre el segundo de la familia respecto a tu hermano, hermana o hermanos? ¿Había un hermano o hermana favoritos? ¿Un hermano gemelo? ¿Solían ignorarte? ¿Te trataban como si no existieras?

Si has sido rechazado, es probable que también te rechaces tú, que te encuentres defectos y que inconscientemente busques situaciones en las que te rechacen o no te valoren. Te culpas por estar en esas situaciones, pero sigues buscándolas. Que te ignoren y no te valoren es algo que te resulta familiar y crees que eso es lo único que te mereces.

Casi seguro que crees que hay algo en ti que justifica que no te hayan invitado a la fiesta —destacas demasiado o eres demasiado tímido— y no seas aceptado por el grupo de amistades del que te gustaría formar parte. Te cuesta valorarte, sentir que te mereces pertenecer a algún sitio.

Asfixia emocional

¿Te han asfixiado emocionalmente? ¿Has tenido un padre o una madre demasiado protector o protectora? ¿Era alguno de tus progenitores seductor sexualmente? ¿Te han tratado como si fueras su cónyuge? ¿Te contaba alguno de tus padres todos sus problemas? ¿Eran dominantes? ¿Emocionalmente invasivos? ¿Querían conocer todos tus movimientos? ¿Juzgaban todos tus actos? ¿Te prohibían tener otros amigos que no fueran ellos?

Si tu padre o tu madre te han asfixiado emocionalmente o has tenido que actuar como cónyuge suplente de uno de ellos, a menudo te sentirás agobiado cuando otras personas quieran estar junto a ti, y es muy probable que seas fóbica. Esto hace que te sientas frustrada en el amor, sabes que lo necesitas y que lo quieres, pero sales corriendo cada vez que se te presenta porque temes que vuelva a asfixiarte.

De algún modo te culpas de que el amor te evite, y puede que te resulte difícil dar los pasos que se consideran normales hacia ese amor que podría resolver el tema de tu vida.

Carencia

¿Has tenido carencias? ¿Has crecido en la pobreza? ¿Te han faltado las cosas básicas? ¿Te faltó el contacto físico o emocional con alguno de tus padres, con los dos o con tus hermanos debido a esas circunstancias difíciles? ¿Has vivido en un centro de acogida? ¿Te ha faltado el cariño? ¿Estaba tu madre demasiado ocupada, bebida o agotada para prestarte atención? ¿Estaba tu padre demasiado ocupado leyendo el periódico para hablar contigo?

Si el tema de tu vida es la carencia, tiendes a darte menos de lo que mereces. Pasas «sin ello» y crees que ya está bien, que lo mejor no es para ti, aunque al mismo tiempo te criticas por ser incapaz de mejorar tu situación.

Puede que te niegues a recibir ayuda de los demás y que la razón sea porque crees que no te la mereces. Piensas que deberías proporcionarte mejores cosas, y te culpas por no ser capaz de hacerlo.

Tú y el tema de tu vida

Piensa durante un minuto en lo que has leído. ¿Entiendes ahora el tema de tu vida? Escribe el tema general que mejor describa tu historia. Luego anota algunas de las experiencias que han contribuido a hacer más importante el tema de tu vida. Por ejemplo:

El tema de mi vida es el abandono. Lo experimenté cuando mi padre se marchó tras el divorcio y a la muerte de mi madre, cuando yo tenía veintitrés años. También lo sentí cuando murió mi perro *Toto* y cuando terminé con Joe.

El tema de mi vida es:

_____

_____

_____

_____

A medida que leas este libro y vayas dando los pasos para cambiar tus sentimientos respecto a ti, observarás que las conductas que te son más necesarias para actuar en nombre propio son las que están específicamente relacionadas con el tema de tu vida.

La compensación y tu tema

Como ya hemos visto, hay muchas circunstancias y experiencias de tu más tierna infancia implicadas en el tema de tu vida. Éste influye profundamente en tus sentimientos respecto a ti mismo. También te conduce a un montón de conductas destructivas que ni siquiera sospechas que estás desarrollando. Eso se debe a que, de un modo u otro, empiezas a adaptar tu comportamiento en respuesta a tu tema.

En términos psicológicos este proceso se conoce como compensación. Algunos niños compensan el hecho de que no les hayan tratado correctamente intentando ser cada vez mejores, con la creencia de que para que su padre o su madre les quieran, para que su vida sea mejor, deben hacer todo lo que ellos digan. Ahora que papá ha muerto, cuidaré de mamá. Si soy muy bueno, quizá papá dejará de beber. Si les doy todo el dinero que gano cuidando niños, quizá no sean tan pobres. Si hago todas las tareas de la casa, mamá no morirá de cáncer. Ésta es una compensación en una dirección positiva. Las personas que compensan de este modo intentan perfeccionar su conducta a fin de recibir cariño, de resolver los asuntos dolorosos que se relacionan con el tema de su vida.

Pero hay otros niños que adoptan otra vía. Se alinean con lo que creen que sus padres piensan de ellos y deciden que tienen razón, que no son merecedores de su amor. En este tipo de compensación, el niño adopta una visión distorsionada y desafortunada de sí mismo. En lugar de esforzarse por ganar la aprobación de los padres, interioriza lo que percibe de su visión: «Piensan que soy estúpido, tienen razón, ni siquiera me voy a esforzar», «Es cierto, hay demasiados niños, no tenía que haber nacido», «Es verdad, no soy guapa, soy un bodrio. Me teñiré el pelo de verde y me mutilaré», «Tienen razón, rompo todo lo que me compran y no me merezco una bicicleta nueva». El problema con este comportamiento es que, por supuesto, es demasiado cruel. A menudo conduce a que las personas se rindan, finjan, sean rebeldes o autodestructivas.

Sea cual sea tu forma de adaptarte, ya sea en una dirección positiva o negativa, en lugar de sentirte realizado y que en realidad mereces vivir y ser amado, compensas el hecho de que no te han tratado bien. Al intentar ser cada vez mejor, o al rendirte, estás aprendiendo a no quererte.

De este modo tu infancia y sobre todo el tema de tu vida han creado un patrón que puede hacer muy difícil que llegues a quererte. Pero afortunadamente ese patrón se puede cambiar. Veamos cómo.

4

Aprender a quererme

«El arte de amar... es en gran medida
el arte de la perseverancia.»

ALBERT ELLIS

Quererte es el trabajo más importante que desempeñarás en esta vida. En cierto sentido, es tu única función. Pero ya hemos visto que las raíces de tu incapacidad para quererte son profundas. De hecho, no habrías escogido este libro si no creyeras que necesitas ayuda para aprender a quererte. Los científicos nos dicen que los hábitos crean surcos profundos en nuestros circuitos cerebrales y que se necesitan veintiún días para empezar a cambiar cada hábito y noventa para asimilar el cambio. Es difícil invertir estos complejos patrones cerebrales, y cuando se trata de redefinir cómo nos percibimos a nosotros mismos, la tarea ya es extraordinaria, porque muchos de esos patrones han sido codificados en la infancia.

Debido a las múltiples formas en que hemos aprendido a no querernos, tenemos mucho trabajo que hacer. Hemos de aprender a querernos en muchos ámbitos y de muchas maneras: en nuestras relaciones, al elegir nuestra profesión, al hacer nuestro trabajo, con nuestros padres e hijos, entre nuestras amistades y con los desconocidos, en nuestro corazón, en medio de la tormenta de nuestras emociones, respecto a nuestro cuerpo y en cómo nos percibimos.

Qué significa quererse

Imagina que todos los seres de este mundo son almas hambrientas cuya vida ha sido imperfecta. Igual que tú, han tenido padres imperfectos. Al igual que tú, han padecido tragedias y dificultades. Si pudieras oír la historia de cada una de esas personas, probablemente te echarías a llorar y desearías abrazarlas. Querrías decirles que a pesar de todo lo que han pasado valen mucho.

Puede que también quisieras darles las gracias por tener el valor de haber llegado hasta donde están ahora y que expresaras tu admiración por su bondad, belleza y unicidad. Seguramente querrías decirles que, sin duda alguna, ante los ojos de Dios y también ante los tuyos, merecen ser amadas.

Imagina que todas esas hermosas almas estuvieran delante de ti esperando tu bendición. Cuando miras en tu corazón y te preguntas si puedes dársela, éste se desborda de generosidad, alegría y amor. No puedes imaginar nada más sencillo o natural que amar a todas las personas tal como son.

Quererte supone simplemente que seas capaz de imaginarte a la cabeza de esa cola de almas que te piden tu bendición, que esperan tu aprobación. Significa abrazarte con la silenciosa convicción de saber que estás bien —que eres perfecto— tal como eres. Quererte es sentir en lo más profundo de tu corazón el sosegado y firme don de tu amor inteligente. Quererte significa que, del mismo modo que estás dispuesto a correr en ayuda de los demás, también lo estás para ir en tu ayuda, para acudir a tu rescate.

Qué esperar al final del viaje

Si amarse no es más que la aceptación incondicional de uno mismo, ¿cómo sabremos que lo hemos conseguido? ¿No volverás a dudar de ti mismo? ¿Todo se aclarará de repente? ¿Te convertirás en un egoísta que alardeará a la más mínima oportunidad y conseguirá todo lo que se proponga?, ¿o quererse es algo distinto?

¿Qué significa quererse día a día, semana tras semana, año tras año? ¿Cómo te sientes? ¿Cómo actúas?

Amarse es algo íntimo. No es necesario hacer sonar las trompetas o anunciarlo en vallas publicitarias. Cuando aprendas a quererte notarás que la paz interior llega a tu conciencia, sentirás tu valía y apreciarás la irrepetible belleza de tu persona. Cuando aprendas a quererte honrarás en silencio tu mente, tu cuerpo, tu corazón, tus emociones y tu precioso espíritu eterno. Sabrás que todo lo que eres y que todos los pasos que has dado en tu viaje han tenido un propósito: conducirte a ese lugar en el que aceptarte con amabilidad y respeto, en el que perdonar tus errores, valorar las lecciones recibidas, amarte y amar a los demás. Cuando alcances esta paz habrás abandonado el lugar de la desesperación, en el que necesitabas un montón de trucos para sobrevivir, en el que la depresión y tu desprecio eran agujeros negros que absorbían toda la energía de los que te rodeaban, y te convertirás en una persona realizada, dichosa y llena de luz que tiene algo que dar.

Cuando te amas, también eres más generoso. Observarás que no sólo te beneficiarás tú. El mundo entero también se beneficiará. Y es así porque cada vez que das un paso para afirmarte en tu propia estima te llenas de una abundancia que has de compartir. Cada vez que avanzas en la gracia, das otro paso hacia la compasión y estás más en paz contigo mismo, a la vez que abres las puertas a los demás.

Con tu férrea voluntad de tenerte en alta estima, inspirarás a los demás a hacer lo mismo. Cada vez que afirmas tus posibilidades, afirmas las posibilidades de que otro ser humano descubra las suyas. Cada vez que decides no maltratarte, creas espacio para que otra persona celebre su propia existencia. Cada vez que valoras —y luego compartes— esos dones que son sólo tuyos, inspiras a otros a hacer lo mismo.

En su aspecto más global, ese amor que sientes hacia ti se convierte en un don que enriquece a la humanidad, que crea un espacio en el que cada persona puede por fin conocer su propia divinidad. En lo más profundo, tu amor por ti es una elevación de los espíritus de los oprimidos, una reivindicación de la esencia más sublime que reside en cada uno de nosotros tanto si la reclamamos como si no. Cada vez que tu luz brilla, te conviertes en un recordatorio de la luz que brilla en el interior de todos; cada vez que vences el desprecio que sientes por ti y por tus dudas, irradias la esencia espiritual que tienes por derecho propio.

Del mismo modo que las actitudes negativas tienen el poder de expandirse como si fueran nubes negras, tu sentido de bienestar también es contagioso. Cuanto más honres consciente y cuidadosamente tu persona, más lo harán también los demás porque seguirán tu ejemplo. Cada persona que reclama su propio valor sostiene el estandarte por el resto de nosotros. Si no temes reconocer tu valía, los demás tampoco lo temerán. Si puedes hablar con fuerza en tu propio nombre, yo también me arriesgaré a hacerlo en el mío. Si emprendes las acciones que honran y protegen tu cuerpo, tu espíritu y tus emociones, yo también me atreveré a emprenderlas. Si tienes el valor de eliminar de tu vida a las personas, las influencias y las actitudes negativas, si te desprendes de tus posesiones innecesarias y tus apegos, yo también podré hacerlo. Tú eres mi estrella polar, mi compañero de viaje. Me inspiro y fijo mi ruta gracias a ti. Esto es lo que el amor hacia uno mismo puede generar en los demás. Si das el paso, el mundo te seguirá.

Tus dones, tu responsabilidad

Ya hemos visto que una de las tristes consecuencias de no querernos es que no vemos nuestra belleza ni nuestra cualidad de seres únicos. No vemos nuestros dones, no pensamos en lo que hemos venido a hacer al planeta. En lugar de vivir con inspiración y plenitud y contribuir con nuestra existencia, vagamos como globos deshinchados intentando conseguir suficiente impulso para seguir adelante. Cuando te quieres compartes tus dones. Es así de simple. Es muy importante, porque el mundo necesita tus dones.

Puede que en este preciso momento no tengas una idea clara de cuáles son esos dones, pero cuando empieces a quererte los reconocerás. También comenzarás a plantearte las preguntas clave de por qué estás aquí y qué es lo que se supone que has de hacer en esta vida. Cuanto más te quieras, más entenderás que no estás aquí sólo para sentirte bien contigo mismo y con tu vida, sino que también se te invita —de hecho, se te pide— que des tus dones, que los uses. Dar y usar tus dones formará parte de tu trabajo de por vida.

¿Qué pasará si no aprendes a quererte?

Piensa por un momento en las consecuencias de *no* aprender a quererte. Que seas incapaz de amarte:

- ¿Frustrará tu meta de alcanzar tu sueño o tu carrera?
- ¿Te impedirá cuidar tu cuerpo o conseguir un bienestar físico?
- ¿Evitará que reconozcas y utilices algunos de tus dones?
- ¿Afectará a tus relaciones con tus compañeros, tus amigos o tu familia?
- ¿Impedirá que encuentres una relación que te llene en cuerpo y alma?

Teniendo en cuenta lo que has descubierto gracias a estas preguntas, ¿estás dispuesto a dar los pasos para aprender a amarte? Ten presente las siguientes cuestiones a fin de centrarte mejor en tu proceso: ¿en qué aspectos tienes más problemas para tratarte bien? ¿Te resulta difícil cuidar de tu cuerpo? ¿No comes bien? ¿No tomas vitaminas necesarias? ¿Te cuesta mantener un peso adecuado? ¿No descansas lo suficiente? ¿Tratas a tu cuerpo como el preciado templo que es concediéndole de vez en cuando un masaje o una manicura? ¿Acaso te cuesta acallar esa voz interior que siempre te reprocha cosas? ¿No eres capaz de centrarte en tus sueños y hacerlos realidad? ¿No has aprendido a tener voz propia en una relación?, ¿a conseguir el respeto que te mereces en el trabajo?, ¿a encontrar tiempo para tu práctica espiritual?, ¿a concederte paz interior?

Luego responde a la siguiente pregunta:

- ¿Cuáles son los resultados específicos que me gustaría obtener de aprender a quererme?

Por ejemplo: no escuchar esos desagradables reproches cuando me equivoco. Sentirme seguro cuando hablo en público. No ponerme adjetivos desagradables. Sentirme más seguro cuando tengo una cita. No dejarme influir por las críticas de mi hermano. No criticar continuamente mi cuerpo cuando me pruebo ropa. Sentir que tengo éxito. Atreverme a cantar. Ser capaz de decirle a Tom que estoy enfadada. Escribe los resultados en el espacio que viene a continuación:

_____

_____

_____

_____

Cómo utilizar la segunda parte de este libro

El resto de este libro está diseñado para enseñarte cuatro pasos específicos: hablar claro, *acting out* o actuar, hacer limpieza e iniciar el camino, que te ayudarán a enfrentarte a las dificultades para amarte. Cómo hacerlo dependerá de ti, de lo que te haya ocurrido en tu vida y de tu tema en particular. Lee cada sección y toma notas sobre cómo te afecta esa enseñanza antes de dar el siguiente paso. Puede que consideres que necesitas alguna práctica más antes de pasar al siguiente paso.

Los ejemplos que he utilizado son para ayudarte a comprender cómo debes aplicar cada paso y para que puedas establecer la conexión entre los problemas que tienes para quererte y el tema de tu vida. Si hay alguna historia con la que no te identifiques, busca de todos modos los puntos de conexión. Observa de qué forma puede servirte en tu situación. Busca esa ternura profunda de la cual podrás aprender.

Te deseo lo mejor.

SEGUNDA PARTE

El camino que te conduce a amarte

5

Hablar claro

«Deja hablar a tu mente aunque tiemble tu voz.»

MAGGIE KUHN

Hablar es el lenguaje de la personalidad, la vibración del alma. Es la energía de nuestra esencia en forma de lenguaje, es el medio a través del cual nos manifestamos como seres humanos. El habla es poder. Es la forma en que nos damos a conocer: a nosotros mismos, entre nosotros y al mundo. Es la forma en que expresamos las hermosas variaciones del tema de nuestra existencia como humanos, lo que nos hace únicos. Es el instrumento para nuestra comunicación interpersonal, el vehículo a través del cual decimos a los demás cómo nos gustaría que nos trataran.

Ésta es la razón por la que el primer paso para amarse es hablar claro. Por hablar claro quiero decir expresarse en palabras. Arriesgarse a decir aquello que nunca te habías atrevido a decir antes. *Decir* lo que necesitas y quieres, lo que esperas, lo que te haría feliz. Decir lo que te enfurece, decepciona y te irrita. Decir qué tipo de apoyo, pasión y amistad necesitas. Decir lo que te asusta, hiere, lo que te parece maravilloso, la razón por la que esto o aquello te parece terrible, por qué otra cosa sería mucho mejor.

Hablar claro no es lo mismo que charlar. Cuando charlamos, simplemente comunicamos, transmitimos información, compartimos conocimiento. Pero cuando hablamos sin tapujos el habla está cargada de contenido. Hablar claro es más que informar. Es salir de las profundidades de ti mismo para darte a conocer, para ser escuchado y comprendido. Hablas en nombre de una causa y esa causa eres tú.

Cuando hablas claro influyes en la conducta de las personas cuyas acciones repercutirán en ti y creas así la posibilidad del cambio. Los cambios que se producirán a continuación serán tanto externos como internos. A medida que empieces a presentarte con mayor seguridad en ti mismo, irás creando las circunstancias para que te traten de otra manera. Crearás un nuevo comienzo, no sólo en lo que respecta a cómo te sientes, sino también a cómo se relacionan contigo los demás. Empezarás a sentir que vales y que eres valioso por lo que eres y por lo que tienes que decir. Comenzarás a quererte de verdad.

Hablar claro y tu yo silenciado

Una de las cosas que has de recordar cuando empiezas a hablar con claridad es que lo haces en nombre de tu yo silenciado, esa parte de ti que hasta ahora no tenía voz. Si siempre hubieras sido capaz de decir cómo te sentías, pedir lo que necesitabas, expresar tu dolor y descontento, ahora no tendrías que aprender a hacerlo. Si lo hubieras hecho —y entonces no estarías leyendo este libro—, irías por el mundo con una gran opinión de ti mismo.

A medida que vas encontrando las palabras para expresar tus necesidades y sentimientos, vas sanando esa parte de ti que tenía tanto miedo, que estaba tan herida o desatendida que ni se te hubiera ocurrido hablar. Ese asustado y silenciado yo se va marchitando y nace un yo que se quiere. Cuando por fin encuentras las palabras para tus sentimientos, empiezas a sentir que eres digno de ser amado por ti y por todos.

En nuestro interior corre un río de emociones. En cualquier momento, tanto si somos conscientes de ello como si no, registramos lo que pasa por dentro. Puede que no sepas conscientemente cómo te sientes, si eres feliz, si estás enfadado, irritado, si te sientes rechazado, triste o abandonado, pero todos esos sentimientos quedan registrados en tu interior. Todos juntos crean tu opinión de ti mismo.

Expresar tus sentimientos aumenta tu valía. Reprimirlos hace que te sientas mal. Cuando expresas tus sentimientos, éstos se convierten en instrumentos para forjarte una nueva y mejor opinión de ti.

Hablar con claridad es también una forma de expresar tu ira. Cuando hablo de ira no quiero decir ese enfado de saltar por algo; me refiero a esa indignación simple y directa que surge cuando los demás te tratan de manera perjudicial para tu bienestar. El enfado es importante porque es la forma en que comunicas a los demás cómo quieres que te traten. Deja ver las consecuencias —que te enfadarás o que ya lo estás— de que no te traten con respeto.

Hablar claro y tu infancia

Cuando hablas claro dices *ahora* lo que no pudiste decir *antes*. En la infancia, todos hemos tenido experiencias dolorosas de las que no podemos hablar. Muchas de ellas ocurren antes de haber adquirido el lenguaje. El bebé que está en la cuna con las sábanas mojadas no puede decir: «Mamá, tengo frío, estoy mojado y tengo miedo. Por favor, ven a tomarme en tus brazos y a cambiarme». El niño confía en que sus padres le entenderán y responderán a sus necesidades. Si no es así se siente abandonado.

El sentimiento de incomodidad y de abandono queda archivado en las recónditas profundidades del inconsciente y aparece esa sensación de que somos incapaces de amarnos. Cuando se van acumulando experiencias similares, empezamos a sentirnos indignos. Si cuando comenzaste a tener estos desengaños no podías hablar —lo cual es bastante probable—, de adulto ya habrás desarrollado la creencia de que no puedes hablar de lo que te molesta.

La necesidad de hablar con claridad no surge sólo porque te sucedieran cosas antes de poder expresarte. También procede de esas situaciones en las que hablaste pero nadie te hizo caso, ya fuera porque no te escucharan, porque te criticaran, porque te juzgaran, porque se burlaran de ti o porque te menospreciaran. Quizá cuando hablabas había alguien que te decía que eras estúpido, que no sabías de lo que hablabas, que tu opinión no valía nada o, sencillamente, a nadie le importaba lo que pensaras.

Conozco a un hombre que cuando era pequeño intentó muchas veces decirle a sus padres que su casa corría peligro de incendio. En la escuela había aprendido que era peligroso guardar alfombras manchadas de aceite cerca de la caldera y les había dicho repetidamente a sus padres que tenían que prevenir ese peligro que encerraba el sótano. Nunca le escucharon. De hecho, su padre le llegó a decir que él no era quien para decirles lo que tenían que hacer. Al cabo de unos meses un grave incendio destruyó dos tercios de la casa, pero sus padres en lugar de reconocer su advertencia, lo único que hicieron fue regañarle por estorbar mientras limpiaban después del incendio.

Lo cierto es que muchas experiencias de la infancia nos afectan mucho antes de que podamos expresar nuestros sentimientos, ya sea porque no podemos hacerlo o porque tenemos miedo. El niño que ha sufrido abusos sexuales, por ejemplo, no sabe si los demás le creerán, si alguien le defenderá. El niño que recibe palizas de su padre alcohólico sabe bien que no tiene sentido decirle a su padre que deje de pegarle.

Vivimos lo que tenemos que vivir. Si tenemos suerte, somos lo bastante conscientes como para hablar de ello internamente. Si no tenemos esa suerte —si somos demasiado jóvenes o si es demasiado doloroso para recordarlo siquiera—, lo experimentamos como un sentimiento que queda registrado en las células de nuestro cuerpo y que surgirá más tarde, cuando por fin podemos hablar. Cuando hablas en el presente, pones palabras a tus sentimientos del pasado. Tal vez esos sentimientos hayan estado guardados durante años antes de poder expresarlos. Si de niño tus experiencias te provocaron repetidamente sentimientos de ira, decepción o frustración, así es cómo te sentirás. Puede que debido a una crisis de adulto —una adicción, un divorcio, la pérdida de un trabajo o la incapacidad para descubrir tu función en la vida— empieces a conectar con estos sentimientos.

Cuando tu pareja te deja tal vez pienses: «Nunca pude conseguir su aprobación, al igual que tampoco conseguí la de mi padre». Por fin has hecho la conexión. Quizá cuando te estás esforzando por superar un problema con la bebida te des cuenta de que la única manera de relacionarte con tu madre era como compañero de bebida, y que eso fue lo que te condujo a esa adicción. Quizá cuando todavía te preguntas qué es lo que has venido a hacer en la vida, te des cuenta de que tu padre nunca alabó tu inteligencia y que todavía te sientes tan incapaz que no puedes arriesgarte a aspirar a la formación necesaria para encontrar un buen trabajo.

Si de niño tus experiencias despertaron sentimientos de ira, decepción o frustración, eso es lo que sentirás respecto a ti.

Ser escuchado

> «La verdad nunca puede estar equivocada,
> aunque nadie la oiga.»
>
> MAHATMA GHANDI

Una de las razones por las que no hablamos con claridad de lo que sentimos es porque creemos que nadie nos va a escuchar. Puede que sea cierto que nadie te haya escuchado en el pasado —padres, hermanos, cónyuges o amigos— y que en cierto modo tengas toda la razón del mundo para pensar así. Hay una parte de ti que está acongojada y piensa: «¿Para qué preocuparse? Nunca me han escuchado antes, ¿por qué habrían de hacerlo ahora?» Sin embargo, es este mismo sentimiento de derrota, de desesperanza, el que ha creado el de ser indigno, que es la causa de tu falta de amor por ti. El hecho de que no te hayan escuchado antes no es razón para no hables ahora. Sólo porque haya una posibilidad —y muchas veces hay más de una— de que tampoco te vayan a escuchar, no te rindas antes de empezar.

Nos preocupa tanto que nos escuchen porque en el fondo de nuestras pequeñas psiques silenciadas creemos que hablar en voz alta y que nos escuchen son acciones que nos respaldan, como un par de sujetalibros. Creemos que sólo valdrá la pena toda la angustia de hablar si alguien nos escucha. Para ser más exactos, creemos que se nos ha de garantizar la respuesta que deseamos para atrevernos a hablar.

Ésa es la suposición que te ha mantenido en silencio todo este tiempo, que ha garantizado que no consiguieras nada y que no te sintieras mejor. Lo cierto es que vale la pena hablar en nombre propio, tanto si obtienes respuesta como si no, *porque cambias tu percepción de ti mismo.*

El lenguaje crea realidad. Cuando hablas, todos esos senderos que en el pasado se habían creado en tu cerebro, que te han estado maldiciendo con críticas, ya no llevarán la misma carga de desprecio. Se abrirán nuevas vías en tu cerebro, cursos por los que correrán ríos de aceptación, aprecio y comprensión. En lugar de considerar superfluas tus preocupaciones, aprenderás a darles el valor que se merecen, sólo por el mero hecho de expresarlas.

Aunque nadie más te escuche, tú lo oirás, el cosmos lo oirá y también lo hará tu apabullada psique.

Hablar claro cambia las voces de tu mente

Cuando de niño se repiten las experiencias de no conseguir lo que necesitas, es casi como si una voz interior te dijera: «Quizá no me lo merezco». Aunque no le prestes demasiada atención la primera vez que la oyes, cada vez que te sientes abandonado, decepcionado o maltratado, esa vocecita seguirá repitiendo que no te mereces el amor.

En lugar de ser capaz de hablar por ti y decir: «Aquí las cosas no funcionan, alguien ha de cuidarme mejor», la vocecita empieza a meterse contigo, para recordarte que no te mereces las cosas que quieres y necesitas. En lugar de hallar la fuerza para hablar en tu defensa, se vuelve contra ti y te dice que la razón por la que no consigues lo que necesitas es porque no te lo mereces. En vez de defenderte o de observar objetivamente la situación —tus padres están demasiado cansados, trabajan mucho o no son conscientes de lo que necesitas—, la voz empieza a atacarte. Te responsabiliza por no tener lo que necesitas.

Esta voz ofensiva es la voz de tu desamor. Esa voz es todas las críticas, juicios, desprecios y menosprecios que has escuchado y asimilado, que luego hablan en tu nombre. Eres tú, que te cebas contigo mismo.

La voz ofensiva se aprende, pero también se puede desaprender. A veces se oye tan alta que parece que es la única, y por ello necesitas urgentemente encontrar otra voz, tu voz real, la que te respeta.

Las formas de hablar con claridad

Tendrás que aprender tres formas de hablar para dar este paso en tu camino hacia el amor. Son éstas: comunicar, pedir y expresar el enfado.

Comunicar

Siempre que hacían las maletas para irse de vacaciones a Hawai, Paul le decía a su esposa Margaret que intentaría dejar de fumar. Se trataba de un tema muy delicado para él, puesto que ya lo había intentado varias veces y siempre había fracasado. Margaret se reía de él, y en cierto momento de su proceso de fracaso Paul se había aliado con ella al confesarle que él mismo sabía que jamás lo conseguiría, que había sido un estúpido por intentarlo de nuevo, ¿cómo se le podía haber ocurrido?

Por todo ello, Paul no se atrevía a comentarle a Margaret que había puesto parches de nicotina en el equipaje y que lo que más deseaba en este viaje era acabar con su adicción. Mientras aguardaban en el aeropuerto, al final tuvo el coraje de decírselo a Margaret. Cuando ella se empezó a reír en su cara, le pidió que por favor se callara y escuchara. Le dijo que esta vez iba en serio y que necesitaba su ayuda, y como ella siguió riéndose, él conectó con un viejo rencor.

Mientras esperaban el avión, le dijo algo que nunca le había dicho antes: que le recordaba a su padre. Hiciera lo que hiciera siempre le ridiculizaba. Incluso cuando se graduó *magna cum laude* en la universidad, su padre se había reído de él por no conseguir el *suma cum laude*. Paul le dijo que durante todo su matrimonio sentía que ella le había tratado de la misma manera. De pronto empezó a llorar; Margaret estaba atónita y él se giró hacia ella y le dijo categóricamente: «¿Vas a ayudarme o no? Porque si no lo haces, tomo mis maletas, me vuelvo a casa y te vas tú sola a Hawai».

Margaret se quedó sorprendida ante esta revelación. No tenía ni la menor idea de que había contribuido a sus fracasos. Se dio cuenta de que a ella Paul le recordaba a su propio padre, un soñador que siempre estaba haciendo planes que nunca funcionaban, y advirtió que era cierto que pensaba que su marido nunca conseguiría dejar de fumar. Margaret corrió el riesgo y también se lo contó todo a Paul. Los dos se echaron a llorar. Juntos llegaron a comprenderse mucho más.

Con el apoyo de Margaret y los parches de nicotina, Paul por fin consiguió dejar el tabaco durante esas vacaciones. No ha vuelto a fumar desde entonces. Cuando habla de lo bien que se siente ahora, no sabe decir si la mayor victoria fue dejar de fumar o expresar lo que sentía. Margaret dice lo mismo, salvo que se siente mejor consigo misma porque se arriesgó a decir lo que, en última instancia, terminaría acercándoles más. Hablar las cosas fue la piedra angular de la mejora en su relación.

Comunicar es bastante sencillo cuando hablamos de nosotros. Es una autorrevelación. Es mostrar a través de las imágenes de tus palabras quién eres. Es descubrir tu yo a la persona o personas con las que estás hablando, con todos tus grandes o pequeños defectos, sueños y esperanzas. Comunicar significa desvelar tus secretos y sacarlos a la luz, arriesgándote a que ellos (y tú) seáis aceptados o rechazados y ridiculizados (lo que más temes).

Comunicar es tener el valor de revelarnos tal como somos.

Puede que comunicar no parezca gran cosa, pero lo es. Comunicar tus sueños y temores es una gran hazaña. Todos tenemos secretos, cosas que por una razón u otra hemos ocultado cuidadosamente. A veces escondemos incidentes concretos de nuestra vida, cosas que no hemos resuelto o de las que nos sentimos avergonzados. A veces ocultamos hechos y sentimientos respecto a nuestros padres. Otras veces, detalles personales respecto a decisiones que hemos tomado o circunstancias en las que nos hemos encontrado y que nos han resultado violentas. No importa de qué índole sean, cuando tenemos secretos en nuestro inconsciente nos sentimos mal e indignos por su causa. Se pueden convertir en la causa de nuestra vergüenza.

Decir es revelar las cosas grandes y pequeñas que nos hacen sentirnos incómodos. Es revelar esas verdades que te asustan y esas susceptibilidades sutiles y desactivar su poder a la luz de tu revelación. Comunicar resta fuerza a la vergüenza.

Algunas de las cosas que tememos revelar tienen relación con nuestras circunstancias. Por ejemplo, a Samantha le costó mucho revelar el hecho de que cuando tenía catorce años fue violada por el chico con el que salía. Ted siempre tenía miedo de iniciar una relación porque en un terrible incendio, que él mismo había provocado accidentalmente, se había quemado más de la mitad de su cuerpo, que ahora estaba lleno de tremendas cicatrices. Luanne, directora ejecutiva de una corporación, estaba avergonzada de sus orígenes humildes y no se atrevía a decir que había nacido y vivido hasta la adolescencia en una granja avícola. Jim no quería que sus compañeros se enteraran de que cuando su esposa enfermó se quedó sin dinero.

Algunos de nuestros secretos afectan a nuestros padres: a Sally le atormentaba revelar que su padre había estado en la cárcel durante seis años. Nat no quería que nadie se enterara de que su padre había perdido la licencia para ejercer la medicina por recetar fármacos ilegales a alumnos de instituto. Mark evitaba decir que su madre era maníaco-depresiva, y Nancy, cuya madre era esquizofrénica y se presentaba en su escuela y empezaba a gritar a todos sus profesores desde la valla de la calle, prefería decir que había muerto.

Otras veces esos secretos tienen que ver con nuestras luchas y dificultades internas: a Meg le costó años revelar que había sido bulímica. Jack estaba avergonzado porque la única forma en que pudo perder peso fue mediante una cirugía para reducir su estómago. Julie, una abogada novata, no quería que nadie supiera que debido a los préstamos de estudios todavía tenía que comprarse la ropa en tiendas de segunda mano.

Cuando revelamos estas cosas, nuestra visión ya no está teñida por el color de lo que estamos ocultando. Por el contrario, descubrimos que esa cosa tan terrible (vulnerable o hermosa) de la que estamos tan avergonzados es algo que los demás pueden aceptar, y si ellos no lo hacen, al final la aceptamos nosotros.

Sí, cuando era pequeña vivía en una granja avícola; sí, fui violada, tengo miedo. Al comunicar nuestras penas, nos damos cuenta de que somos más grandes que ellas.

Pedir

Sandra le pidió a Ned, el chico con el que llevaba saliendo cinco meses, que fuera más comunicativo. Sabía que se preocupaba por ella, pero a veces le decía que la llamaría al día siguiente y luego no sabía nada de él durante varios días. En una ocasión, él le prometió que la llamaría al día siguiente y no lo hizo, así que decidió ser ella quien le llamara para decirle cómo se sentía. Cuando consiguió encontrarle le dijo que aunque a ella no le importara que no la llamara en cuatro días, no era correcto decir que iba a llamar y que no lo hiciera. Le pidió que cumpliera con su palabra, que si decía que iba a llamar, llamara. Después le puso sobre aviso diciéndole que si esto se repetía más de tres veces rompería con él.

Sandra había tenido un novio con el que era prácticamente imposible comunicarse por teléfono. No se le podía molestar en el trabajo y no quería tener móvil. Durante toda su relación, ella tuvo la sospecha de que la engañaba o que no le importaba lo suficiente para comprarse un móvil y hablar con ella. Tras diez años de discusiones y de culparse, rompió con él.

Mientras pensaba en esa situación con Ned, cayó en la cuenta de que su padre era un hombre con el que nunca pudo conectar. Era un abogado muy ocupado, que solía trabajar hasta muy tarde. Muchos días le esperaba para que la ayudara a hacer sus deberes, tal como le había prometido, pero a menudo se olvidaba de llamar para decir que llegaría tarde. Llegaba tan tarde que ella ya se había ido a dormir. Luego se enteró de que había tenido varios romances y que cuando su madre llamaba al bufete su secretaria mentía y le decía que estaba con un cliente.

En la vida de Sandra el teléfono representaba la forma en que los hombres faltaban al respeto a las mujeres y probaba que no eran dignas de su amor. De niña no tenía más remedio que aceptar la conducta de su padre. Con su novio anterior, había intentado hablar, pero dado que se sentía indigna, como consecuencia del rechazo de su padre, nunca le presionó sobre el tema. Dejó aquella relación con el sentimiento de que ella nunca le había importado demasiado.

Esta vez, cuando le pidió a Ned que cambiara, él se disculpó. Le dijo que en el mundo de los negocios sencillamente había desarrollado la costumbre de decir «ya te llamaré mañana» para concluir sus conversaciones telefónicas y que no tenía ni la menor idea de que eso pudiera afectarla tanto. Le prometió que en el futuro sería más conciso en sus intenciones comunicativas porque a él sí le importaba ella. Sandra tuvo que recordárselo en un par más de ocasiones. Cada vez que tuvo que hacerlo le costó menos y se sintió más segura para pedir lo que necesitaba. A medida que se consolidaba su relación, Sandra se fue convenciendo más de su valor.

Para muchas personas, pedir es la forma más difícil de expresarse. Una vez le oí decir a un hombre que pasaba por un divorcio muy conflictivo que para él lo más difícil era pedir alguna cosa. Decía que no era cosa de hombres, que antes se echaba a la bebida o trabajaba hasta el agotamiento que pedir ayuda, consuelo, apoyo o que alguien le escuchara. Según él, eso desafiaba su definición de sí mismo como hombre.

No todos tenemos tanto miedo de pedir como este hombre tan «macho», pero a cualquier persona que tenga un problema con la autoestima también le puede resultar difícil. Pedir —conversación, pequeños detalles, reacciones, regalos, respuestas, cosas para hacer, formas de comportarse contigo, que tú necesitas— puede dar mucho miedo. Es así porque cuando pedimos somos vulnerables y cuando somos vulnerables estamos en contacto con todos los aspectos que no queremos de nosotros. Si te sientes bien, fuerte, atractivo, realizado y digno, no te dará miedo pedir la luna o cualquier otra cosa. Pero si te sientes insignificante, cobarde e inseguro te costará mucho.

Cuando pides pones de manifiesto tu carencia, tu necesidad, un agujero en el entramado de tu realidad. Te arriesgas a pedirle a otra persona que te ame y te sirva del modo en que tú necesitas, no porque seas el rey o la reina de la fiesta, sino porque lo necesitas. Pedir muestra tu vulnerabilidad. Creas una situación en que la otra persona tiene poder sobre ti. Necesitas algo, los demás pueden ayudarte y el modo en que utilizarán ese poder es una incógnita. ¿Te echarán en cara que eres una persona desgraciada, fracasada, que necesita su alabanza, ayuda, apoyo e inspiración o te darán con gusto y alegría lo que les has pedido porque, a diferencia de ti, han visto lo que vales, te quieren y son felices de poder dártelo?

Pedir también nos expone a otra vulnerabilidad. Al mostrar tu necesidad tienes que enfrentarte a cualquier pregunta sobre tu «falta de mérito». Has de atravesar las barreras de tus temores y comportarte como si estuvieras convencido de tu valía, comportarte como si te la merecieras. Curiosamente, empiezas a sentir como si fueras algo más fuerte, digno o merecedor de lo que aparentas porque has tenido el valor de pedirlo. Cada vez que pedimos, cada vez que nos arriesgamos, ese yo que libra una batalla en nuestro interior por conquistar su propio amor nos dice: «¡Sabía que podrías hacerlo! ¡Te lo mereces!» Cada vez que consigues resultados, te sientes más fuerte, con las ideas más claras y te aprecias más. Si vas paso a paso te irás formando un nuevo concepto de ti mismo.

Expresar el enfado

Sally se fue de viaje a Nueva York con Karen, su mejor amiga. Era la primera vez que visitaban esa ciudad y se quedaron impresionadas por la energía que desprendía y el sinfín de cosas interesantes que había por ver. Un día, mientras comían en un restaurante, un hombre atractivo se les acercó y se sentó en la mesa contigua. Karen, cautivada por él al instante, empezó a flirtear y al final le invitó a sentarse con ellas. En el momento en que lo hizo pasó de Sally y dirigió toda su atención hacia él. Al poco rato habían concertado una cita. Los tres terminaron de comer y después, en lugar de ir de compras o terminar la conversación con Sally, Karen estaba en las nubes, hablando sin parar de ese chico y del sitio al que iban a ir juntos al día siguiente.

Sally estaba enfadada, pero no sabía cómo interrumpir la verborrea de su entusiasmada amiga. Sin embargo, se puso a reflexionar y se dio cuenta de que estaba enojada por el extraño giro de los acontecimientos. Había deseado mucho ese viaje y ahora se sentía abandonada. En lugar de divertirse con Karen, ahora era plato de segunda mesa en el nuevo romance de su amiga. Esa situación se parecía mucho a su infancia como hija única. Cuando salía del colegio se iba a casa, con su madre, y comían galletas, hablaban y miraban la televisión, pero en cuanto llegaba su padre, su madre se levantaba de repente, empezaba a preparar cócteles y desviaba toda su atención hacia él, como si ella hubiera dejado de existir.

Al principio, Sally conectó con su falta de amor, pensó que no se merecía ninguna atención, que no debía ser una compañera de viaje lo bastante divertida. Pero se lo pensó mejor y decidió arriesgarse. Se enfrentó a Karen y le dijo lo enfadada que estaba por el modo en que la estaba tratando. Le dijo que no podía aceptar que las dos hubieran ido de viaje juntas y que ahora se desentendiera de ella, y que estaba dispuesta a regresar a casa sola.

Karen se dio cuenta de que Sally tenía razón. Le pidió disculpas y le preguntó si podía hacer algo para reparar el daño que le había hecho con su comportamiento. En el pasado, Sally se habría conformado porque creía que no se merecía nada mejor, pero en esa ocasión le dijo a su amiga que se volvería a casa y planificaría otro viaje si ella, a pesar de su enamoramiento, no le prometía que pasarían juntas los dos últimos días de su viaje compartiendo los placeres de la ciudad.

Al final disfrutaron de dos maravillosos días juntas comprando y yendo al teatro. Karen le repitió varias veces cuánto apreciaba que Sally se hubiera sincerado y que había mejorado mucho su opinión de ella. Sally también se sintió mejor. Hablar sin tapujos la había sacado del pozo del desamor por ella misma y había afirmado su valía. Cuando regresaron a casa, las dos reconocieron que el hecho de que Sally expresara su enfado había fortalecido la relación.

La ira es una emoción complicada. Puede manifestarse como una rabia escandalosa y muy destructiva o como un silencio firme que expresaría la contención de la energía emocional ante un hecho que nos afecta. En el peor de los casos, y según nuestro cliché, la ira es perder los estribos, vomitar lo que llevas dentro, pegar a alguien, ponerse como loco. Estas expresiones de lo que denominamos ira representan dicha emoción y el poder físico de la agresividad. Son formas inmaduras e inapropiadas de expresarla, es un modo de liberarla que sólo beneficia a quien la manifiesta. En el peor de los casos, la ira es la expresión descontrolada de esta energía y de esta emoción. Por eso le tenemos tanto miedo. El principal problema es que no sabemos cómo expresarla bien.

No obstante, la ira también es una emoción bella. Es la emoción de la preocupación por uno mismo, de la autoprotección. Es la emoción por la que damos a conocer que somos seres humanos valiosos. La ira es la forma que tenemos de decir a los demás que han ido demasiado lejos, que han traspasado la barrera invisible que no debían haber franqueado si querían seguir siendo nuestros amigos. Es la espada con la que cortamos las conductas de falta de respeto, la emoción que pide a los demás que nos traten bien. Puesto que con la ira siempre se expresa una energía fuerte y negativa, a nadie le gusta que otra persona se enfade con ella. La energía de la ira encierra cierta amenaza. Cuando tú eres el receptor, tienes la sensación de que se desencadenará algún efecto negativo en tu dirección. La presencia de esta amenaza potencial es la que da tanta fuerza a la ira y también la que sirve para actuar a nuestro favor. Se requiere mucha energía para expresar ira y mucha fuerza receptiva y mucha energía para aceptarla.

Manifestar tu ira no significa que te conviertas en un maníaco histérico. Significa que deseas determinar con exactitud por qué estás enfadado, expresarlo con fuerza y claridad, y luego, si lo prefieres, explicar con más detalle todas las implicaciones que esa situación tiene en tu vida. Con ello me refiero a explicar las razones por las que esa conducta en particular te ha afectado tan profundamente. Por ejemplo: «Me enfurece que sea la tercera vez que llegas tarde esta semana. Tengo la sensación de que no te importo nada. Me recuerda cuando tenía que esperar a mi padre a la salida de la escuela, que a veces tardaba horas, un día incluso se olvidó de venir a recogerme».

Explicar es importante porque da una oportunidad a la otra persona de conocerte mejor, es decir, de conocerte en el contexto de toda tu vida y no sólo en el momento en que te enfadas con ella. Le da la oportunidad de saber por lo que has pasado y, con ello, la de quererte más. También te da la oportunidad de quererte mejor porque te das cuenta de cómo la falta de ese momento forma parte de una larga cadena de faltas que han lastimado tu espíritu durante años. Te sentirás mejor porque te has respetado y la otra persona se sentirá mejor porque ha recobrado tu amor y habéis restaurado vuestra armonía. Sin buscar excusas ni lamentarte —emociones que no expresan amor—, puedes observarte con una mirada compasiva que reconozca que ya has sufrido bastante y que ahora puedes y debes hablar en tu nombre.

¿Por qué necesitas hablar claro?

Puesto que todos nos hemos callado cosas en mayor o menor medida y de distintas maneras, suele costarnos darnos cuenta de que necesitamos hablar. Pero hay muchas áreas en las que necesitamos expresarnos. Unas veces son cosas inmediatas y otras tienen que ver con nuestro aprendizaje a lo largo de nuestra vida.

Patrick por fin le dijo a Kathleen, con la que llevaba casado ocho años, que necesitaba tener un hijo para sentirse realizado. Kathleen ya tenía dos, de nueve y diez años, de un matrimonio anterior y cuando se casó con él le dejó bien claro que no quería más hijos. En ese momento Patrick estuvo de acuerdo en que con sus dos hijos bastaría para satisfacer su instinto paternal, pero con el paso del tiempo se dio cuenta de que necesitaba la experiencia de criar a un niño desde pequeño y que si se la perdía se sentiría tan mal que acabaría arruinando su matrimonio.

Tras muchas discusiones, al final reunió el coraje necesario para decirle a su esposa que aunque no le pedía que diera a luz a otro hijo, sí le suplicaba que iniciaran un proceso de adopción en el plazo máximo de un año. Y si ella no se veía capaz de hacerlo, posiblemente la dejaría. Eso no fue una amenaza, sino la expresión de una necesidad que ya no podía seguir desoyendo. En su crecimiento personal se había dado cuenta de que para él era básico cuidar a una criatura desde su nacimiento.

Patrick era el sexto hijo y el menor de una familia de siete hermanos. Tenía dos hermanos mayores y, a continuación, tres hermanas. Sus padres trabajaban mucho para mantener la familia. Cuando él era el sexto, nació otra hermana, un «descuido», y se aferró mucho a ella ayudando a su madre a cuidarla, dándole de comer e incluso cambiándole los pañales. Cuando el bebé tenía seis meses, murió del síndrome de muerte súbita del lactante. Patrick se quedó desolado, pero también se sentía culpable. Inconscientemente, sentía que su conexión con su hermana había sido la causa de su muerte. También la echaba mucho de menos.

Cuando le contó su historia a Kathleen y ella comprobó lo importante que era para él, se conmovió. Accedió a iniciar inmediatamente los trámites de adopción. Un año y medio más tarde recibieron a su adorable niña recién nacida. Patrick estaba exultante de felicidad y creó un vínculo muy especial con su nueva hija. Su llegada también estrechó los vínculos entre la pareja.

Tanto si tu motivación es tan fuerte como el deseo de tener un hijo o si simplemente se trata de divertirte más en tus vacaciones, aprenderás a hablar claro cuando prestes atención a lo que necesitas.

Para ayudarte a ver lo que necesitas para hablar claro, responde a las siguientes preguntas. Céntrate en los dos o tres temas que sean más importantes para ti, es decir, los aspectos de tu vida con los que estés menos satisfecho y de los que más te cuesta hablar. Escribe en un papel las siguientes preguntas y tus respuestas.

- ¿Cómo quieres que te quieran y qué necesitas para hablar de ello?
- ¿Qué tipo de muestras de cariño quieres recibir y qué necesitas para decirlo?
- ¿Qué tipo de cuidados necesitas y a quién se los has de pedir?
- ¿Qué tipo de consuelo necesitas y con quién tienes que hablar?
- ¿Qué clase de protección requieres y quién te la puede dar?
- ¿Qué necesitas sexualmente y con quién quieres compartirlo?
- ¿En qué quieres cambiar?
- ¿Qué clase de cambios buscas en tu pareja y cómo puedes pedirle que los lleve a cabo?
- ¿Qué tipo de cambios esperas en tu trabajo?
- ¿Cuáles son tus ambiciones? ¿Qué clase de apoyo moral necesitas para realizarlas? Si hubiera una frase que crees que podría ayudarte, ¿cuál sería?
- ¿Qué situación ha despertado tu ira, provocado tu decepción o te ha herido? ¿Qué has de decir respecto a la misma para sanar esos sentimientos?

Ten papel y lápiz a mano para escribir cuando te venga alguna idea, en el armarito del cuarto de aseo, en el cajón de la ropa, en tu banco de trabajo. Propónte hablar de alguno de estos temas en el transcurso de la semana. Si lo prefieres, también puedes anotar cada vez que has hablado de ellos y los resultados que has obtenido, con las personas con las que has hablado y contigo mismo. Cuando respondas a estas preguntas, estarás más cerca de saber exactamente lo que tienes que decir y a quién se lo has de decir.

Habla claro ahora

Tanto si se trata de expresar tu enfado como de pedir algo o revelar algún aspecto vulnerable, hablar claro es una de las cosas más sencillas y difíciles que puedes hacer. Para hablar claro primero has de mirar en tu interior y descubrir qué es lo que necesitas decir exactamente. Piensa qué palabras quieres usar. Escríbelas si lo necesitas. A veces un guión ayuda a expresar mejor lo que quieres decir cuando se presenta la ocasión. Esto es especialmente útil cuando hablas por teléfono. Puedes mirar tu guión para sentirte seguro cuando estás a punto de correr el riesgo de comunicarte.

¿Cómo saber que has de decir algo? Lo sabrás cuando entres en contacto con una sensación incómoda de dolor, con un sentimiento doloroso, funesto o incluso colérico. Unas veces lo notarás en tus entrañas, otras sentirás un pinchazo en los ojos. Puede que también lo notes en tu conducta, empezarás a oír voces de desprecio, demasiadas excusas, comerás en exceso, volverás a un viejo hábito ya superado. Quizá sea una situación pasajera, escucharás en tu interior las palabras que sabes que has de decir, pero no tendrás el coraje de repetirlas. A veces te sentirás mal y creerás que estás enfermo, pero al fin te preguntarás si no habrá algo en tu interior que tienes que expulsar.

Si prestas atención notarás alguno de estos síntomas físicos. Eso se debe a que los sentimientos siempre se expresan en el cuerpo. Se pueden enmascarar bajo una enfermedad o como un malestar (como cuando dices, «Me pone enferma el modo como me trata Tom»). A veces son sensaciones sutiles, como dolores, escalofríos o movimientos involuntarios. En otras ocasiones, reacciones físicas violentas. Por ejemplo, cuando Megan hablaba una noche con sus amigas de la rabia que sentía contra su padre, de pronto tuvo que correr al baño a vomitar.

Si te cuesta descubrir qué es lo que sientes y, por lo tanto, qué es lo que has de decir, ve a un terapeuta o recurre a un amigo que sea inteligente en el ámbito emocional y pídeles que te ayuden a descubrir lo que sientes y cómo tienes que expresarlo.

Cuando tengas que hablar, tu alma y tu cuerpo te lo dirán. Tu alma te lo comunicará enviándote el mensaje de que la situación en la que te encuentras ya no es aceptable para ti. Tu alma quiere que te ames, que te respetes y quieras a esa persona preciosa y única que eres. Tu alma utilizará tu cuerpo para ayudarte a quererte.

Cuando amarte implique la necesidad de hablar, puede que oigas el sonido de las palabras en tu cabeza. Puede que haya algunos comentarios: «He de decirle a Bob lo enfadada que estoy, pero puedo perder mi trabajo», «Quiero pedirle a Mark que vayamos de vacaciones, pero tal vez piense que soy demasiado directa», «Debería decirle a Todd que me siento forzada sexualmente, pero si lo hago es probable que no me vuelva a pedir que salgamos».

Tal vez veas tu mensaje escrito como en las viñetas de un tebeo o en una pizarra. Sea cual sea la forma en que se te revele el mensaje, espero que lo tomes en serio. Es tu yo interior que quiere que te arriesgues a quererte. El yo que está aprendiendo a quererse te muestra o te dice que has de hablar por ti mismo.

Cómo hablar claro

A veces la vida te brinda una oportunidad de oro para expresarte, pero eso no ocurre muy a menudo. Puede que encuentres una ocasión perfecta en una conversación para decir lo que siempre has necesitado decir o que aquello que pensaste ayer por fin puedas decírselo hoy a tu madre o a tu esposo. Tal vez tu padre, en su lecho de muerte, salga por un instante del coma, levante la cabeza y te pregunte si tienes algo que decirle antes de partir para el otro mundo. Pero lo más probable es que la mayoría de las veces no sea tan fácil. Las circunstancias para hablar no te lloverán del cielo, tendrás que crearlas.

Por ejemplo, hace un año que vas a clase con una chica de la que estás enamorado. Crees que es tu tipo, es guapa y reúne todos los requisitos de tu pareja ideal. No estás seguro de si sale o no con alguien en estos momentos, pero decides averiguarlo. Haces acopio de valor y te prometes que le hablarás de tus sentimientos el viernes, día 13, aunque caigan chuzos de punta. Llega el día y aunque ella tiene prisa porque tiene que ir a otro sitio, le pides que te conceda unos minutos y le hablas de tus sentimientos. Se queda desconcertada y educadamente se retira para digerir lo que le acabas de decir. Estás alerta, por si surge una oportunidad o un rechazo. En cualquiera de los casos, te has respetado al expresar lo que había en tu mente, en este caso, en la «mente» de tu corazón.

Existe un punto a medio camino entre esperar a que llegue el momento adecuado y hacer que llegue, que es atrapar el momento. Por ejemplo, siempre has tenido una relación difícil con tu padre. En la terapia le hacías reproches, le escribías cartas desagradables y llenas de rencor, le mostraste qué pensabas de él. Él se sintió abatido y reaccionó mal, te llamó bruja histérica y se preguntó de qué había servido la terapia. Después desapareció durante catorce años. Ahora es viejo, sólo espera la muerte, el último gran acontecimiento de su vida. Todavía no habéis vuelto a conectar, habéis hecho pequeños intentos de acercaros, de conversar o cenar juntos algunas veces. En lugar de sacarlo todo de nuevo una vez más —lo que te duele que nunca te llamara, que no te prestara atención—, simplemente buscas una oportunidad.

Una noche tenéis una de esas superficiales conversaciones de la hora de cenar, en las que hablas del coche que te acabas de comprar y del precio de la gasolina. Buscas las palabras para expresar cómo te sientes respecto a esa falta de conexión de toda la vida y al final dices: «Siento que nunca hayamos tenido más tiempo, que no hayamos tenido la oportunidad de conocernos». Él, sorprendido, levanta la cabeza y te mira durante un momento. Sus ojos se humedecen y se llenan de lágrimas cuando te mira, la tristeza brilla en su mirada. Sonríe con melancolía. Durante una décima de segundo has tenido esa conexión que tanto anhelabas.

Cuando sabes que hay algo que decir, encuentras el momento para hacerlo. El momento puede ser ahora, puede ser pronto, cuando tú decidas o cuando haya una oportunidad. Busca el momento o créalo, pero hagas lo que hagas, habla. Luego observa cómo te sientes después de haber dicho lo que tenías que decir. ¿Sientes que te quieres más que antes? Observa cómo ha mejorado tu sentido de valía.

Cada vez que expresas tus sentimientos, te sientes con más derecho a hablar. Cuanto más lo hagas, más fácil te resultará. Identifica lo que tengas que decir y dilo. Habla para revelar tus esperanzas, temores, sueños, limitaciones, enojos, intenciones, malestares, pérdidas, situaciones violentas, ambiciones. Cuando lo hagas, descubrirás lo maravilloso que eres, cuánto te mereces el amor. Empieza a arriesgarte. ¡Habla!

6

Acting out o actuar

«El conocimiento no basta, debemos ponerlo en práctica.
Querer no es suficiente, debemos hacer.»

GOETHE

En terminología psicológica, *acting out** no se considera como algo positivo. Suele significar que en lugar de comportarte como un ser humano consciente, franco y que hablas de lo que necesitas, sientes o quieres, sencillamente «actúas impulsivamente», es decir, realizas actos despreciables como romperle el limpiaparabrisas a alguien o pegar a una persona en un callejón oscuro. Visto de este modo, el *acting out* es una especie de conducta emocional inmadura en la que se expresan indirectamente los sentimientos a través de la acción en lugar de las palabras. En términos psicológicos, *acting out* es la conducta «pasivo-agresiva».

En el cliché típico del matrimonio, por ejemplo, la mujer que no quiere sexo y se queja de dolor de cabeza está actuando para crear el resultado que desea. En lugar de decirle a su esposo que no le apetece, finge un dolor de cabeza y consigue lo que quiere.

* En inglés se utiliza esta expresión tanto en psicoanálisis como en el lenguaje corriente, con el significado de actuar, ya sea en el sentido de pasar a la acción como en el de interpretar. En castellano, sin embargo, hemos adoptado el término inglés para este tipo de conductiva impulsiva. (*N. de la T.*)

El empleo de una acción —en este caso, ponerse enfermo— para comunicar algo que no tienes valor de decir con palabras es lo que constituye la conducta pasivo-agresiva. Se denomina pasiva porque no es directa y agresiva porque, de hecho, supone una violación emocional de la persona contra la cual va dirigida. En lugar de actuar de una forma positiva se emplea un sutil un asalto emocional.

Pero ahora te pido que actúes demostrando lo que te quieres. En este caso, en lugar de «actuar» en el sentido negativo del término, sugiero que emprendas una acción por tu propio bien, que actúes en vez de darle vueltas al asunto, que lo medites, lo ponderes, lo analices y expreses tus emociones o hables contigo mismo o con tus amigos de lo que necesitas, quieres, deseas y mereces. Te sugiero que pases del pensamiento a la acción. Que pases de hablar de ello, del «no me gusta cómo me queda el pelo», a actuar, es decir, ir a la peluquería a que te hagan un nuevo corte de pelo o te tiñan. La diferencia entre estas acciones y lo que solemos interpretar por *acting out* es que estas acciones son conscientes, positivas y las haces por tu propio bien.

Existe una razón para utilizar el término *acting out* [literalmente, representar, expresar]. No sólo te estoy diciendo que actúes, que emprendas una acción. Te estoy animando a que te expreses ante el mundo. Cuando actúas, simplemente realizas una acción. Sale una idea de tu mente y haces algo al respecto. Pero *acting out* significa llevar a cabo acciones que están más allá del marco habitual de referencia de tu conducta. En otras palabras, haces algo diferente, algo que nunca habías hecho antes, algo que nunca habías imaginado que llegarías a hacer.

Cuando actúas de esta manera, tus manos y tus pies se mueven conforme a tus palabras. Pones tu dinero y tu energía al servicio de lo que has expresado. Pones tu valor, creatividad, imaginación y energía en lo que has dicho. En lugar de esperar, quejarte, imaginar o lamentarte, *haces* algo.

Acción es pensamiento y habla en movimiento. Acción es

cambiar. Acción es energía, un nuevo comienzo, transformar las cosas de como son a como te gustaría que fueran. Actuar es importante porque al hacerlo tu cuerpo graba los resultados de esa acción en su memoria celular. Tu cuerpo lo sabe. Tiene una memoria que recuerda cómo has respondido hasta entonces a la vida y al mundo. En alguna parte de tus células hay un registro de todas las veces que lo has intentado y de todas las frustraciones que se han ido acumulando por tu temor a emprender la acción. Cuando te atrevas a actuar, sabrás cinestésicamente, es decir, lo notarás en el cuerpo, que has cambiado.

El cuerpo que ha dado el salto nunca regresará al concepto que tenía de sí mismo.

Cuando cumplí los treinta me hice el firme propósito de que cada año a partir de entonces haría algo que no había hecho antes, no sólo algo nuevo, sino algo que realmente supusiera un reto, quizás algo que hasta me diera un poco de miedo. Observé que todas las personas que me inspiraban tenían algo de aventureras, de atrevidas, mientras que las personas que parecían envejecer de espíritu no tenían nada nuevo en sus vidas, ninguna motivación para crecer. Solían vivir en el pasado «recordando cuando hicieron...». También observé que había mucha correlación entre la autoestima de las personas y las acciones que habían emprendido por ellas mismas.

Recuerdo que una vez le pregunté a mi nuevo oftalmólogo por qué estaba tan contento ese lunes por la mañana. Y me respondió que había estado mirando unas bonitas fotos de él y su familia. Me dijo que había hecho una apuesta con su hija y que él y toda la familia, su esposa y sus cuatro hijos, se habían ido a vivir un año a Nueva Zelanda. Hacía dos semanas que habían regresado y esa experiencia había cambiado sus vidas, se sentía muy bien por lo que había hecho. Me explicó que cuando era pequeño estuvo enfermo y que nunca había practicado deportes ni se había alejado demasiado de su pequeña ciudad natal. Se consideraba un cobarde y una persona poco interesante, pero su autoestima se disparó cuando planificó y llevó a cabo con éxito ese formidable año sabático para toda la familia.

Tras mi decisión, empecé a forjarme un plan y con el paso de los años «lo que no he hecho nunca» ha incluido cosas tan diversas como practicar yoga, aprender a bailar el *fox trot*, hacer *trekking* por el Himalaya, escribir un libro, cambiar mi dieta, dejar de fumar y enamorarme. Cada vez que he iniciado la aventura de hacer algo nuevo he tenido un poco de miedo. No he estado segura de que me fuera a gustar. Ni de ser apta para ello. Ni de si merecía la pena el gasto y el esfuerzo. Pero cada vez que lo he intentado he conquistado una parte de mí, he adquirido más fortaleza, intuición, resistencia física, valor emocional, he disfrutado más de la vida, aunque esa parte de mí que reivindicaba fuera sólo discernimiento o el derecho a decir que no quería pasar por la misma experiencia otra vez. Cuanto más hago, mejor me siento.

La importancia de actuar

He descubierto que hacer cosas nuevas te da amplitud de miras, vitalidad, te demuestra que la vida es bella y que puedes formar parte de esa belleza. Creces junto con el mundo que te rodea y todo es más grande que antes. Esta forma de actuar te da esperanza. Dejas de sentirte atrapado o limitado por la vida y aprendes los saludables beneficios de seguir haciendo algo diferente desde este paso inicial de crecimiento. Por otra parte, además de la primera acción que decides tomar, te das cuenta de que cada vez que emprendes otra nueva que requiere valor aumenta tu esperanza y tu autoestima. En lugar de sentirte amargado, cerrado y pequeño, empiezas a sentir que mereces los regalos de la vida. En resumidas cuentas, empiezas a quererte.

Actuar es importante, al igual que lo es hablar, porque crea resultados, y hace que éstos sean más importantes. Cuando actúas, inmediatamente sientes que ha cambiado algo. Ya no estás desesperado, deprimido, ni te sientes como una despreciable marioneta. Al actuar creas una nueva realidad, una realidad que confirma y expresa tu propia valía.

Por ejemplo, cuando a John le dejó su última novia, se quedó destrozado. Era un hombre de cuarenta y tantos que ya había pasado por un matrimonio «desdichado» y al descubrir que la mujer con la que se había planteado seriamente volver a casarse le había estado engañando durante varios meses quedó destrozado. Pasó una terrible depresión, que demostraba lo que su madre siempre le había dicho, es decir, que siempre fracasaba con sus relaciones y que nadie podría quererle tanto como ella.

Su padre se había marchado de casa cuando él era adolescente y su madre, una mujer psicológicamente dependiente, asustada y deprimida, se volvió muy posesiva con él. Su padre, antes de marcharse, siempre le había criticado por no ser lo bastante fuerte, y cuando empezó a sentirse desbordado por todas las manipulaciones de su madre, intentó alejarse de ella huyendo con una chica a la que apenas conocía. Cuando fracasó su primer matrimonio, su madre le dijo que eso era la prueba de que sólo ella podría quererle. A pesar del bombardeo de todos estos mensajes negativos del pasado, John decidió emprender una acción drástica. Se apuntó a un curso para solteros sobre cómo crear buenas relaciones.

Durante el curso, llegó a ser tan popular entre sus compañeros que el día de su cumpleaños le hicieron una fiesta sorpresa. John estaba encantado. A través de ese gesto de afecto de sus compañeros, se dio cuenta de que era una persona encantadora, que incluso un grupo de personas que apenas le conocían se preocupaban de él más de lo que se hubiera podido imaginar. Reforzado por el cariño que le profesaba el grupo, se animó a intentarlo de nuevo. Cuando terminó el curso llamó a una de las participantes y la invitó a salir. Se estuvieron viendo durante un año y ahora están felizmente casados.

Al dar el paso y actuar a pesar de sus creencias limitadoras encontró la felicidad.

Acción consciente

«Todo lo que puedas hacer o soñar... hazlo ahora.»

GOETHE

Es importante ser consciente de las acciones que realizamos porque, como ya hemos visto, actuar a veces puede tener una connotación negativa, como en el caso de la conducta pasivo-agresiva. La acción consciente tiene efectos profundos. Puesto que está motivada por una intención específica de conseguir resultados concretos, creará mucho revuelo en tu mundo. A diferencia de una idea que ronda por la cabeza, una acción consciente es una idea liberada y puesta en movimiento. La acción tiene el poder de cambiar la energía de tu cuerpo, de las cosas y de las personas que te rodean. Pensar en algo es interesante, un pensamiento puede ser la base de lo que quieres hacer. Pero cuando realmente actúas según lo que has pensado, empiezas a cambiar, y también cambia el mundo que te rodea.

Puesto que la acción implica energía, el poder inherente del universo se moviliza en el mismo instante que comienzas a actuar. Cada vez que actúas los patrones energéticos de tu vida empiezan a modificarse. El mero hecho de lanzar una piedra a un estanque no sólo genera el movimiento de la caída de la misma hasta el fondo, sino también las ondas expansivas por el contacto de ese cuerpo energético con el agua. De igual modo, cada acción que realices producirá no sólo los resultados específicos que pretendes, sino también muchas otras respuestas energéticas en tu mundo.

Si decides divorciarte y llevas a cabo esa acción, conseguirás lo que pretendías —el fin de tu relación—, pero ello también afectará a tus hijos, amigos y compañeros de trabajo. Por ejemplo, Sarah me dijo que había decidido poner fin a su relación de maltratos psicológicos con su marido. Al principio su madre se quedó sorprendida, pero luego empezó a revisar su propia vida.

Al ver la decisión que había tomado su hija, se dio cuenta de que ella nunca había tenido el valor de hacer lo mismo con su esposo, e inspirada por Sarah, terminó con cuarenta años de matrimonio conflictivo. La fuerza de Sarah para poner fin a una relación destructiva por amor así misma fue la que movió a su madre a hacer lo mismo.

Actuar es una forma muy poderosa de comunicarse. Habla por sí misma. La acción que realices revelará lo que necesitas afirmar de ti o la nueva dirección que has de seguir.

Cuando era pequeña, mi madre creía que era bueno que hiciera la siesta. A mí no me gustaba hacerla. Recuerdo que pensaba que era una forma de malgastar un día estupendo. Un mediodía, cuando estaba acostada para hacer la siesta, me aburría tanto que decidí hacer algo. Me levanté, me fui de puntillas al dormitorio de mis padres y abrí el cajón de su ropero, donde sabía que mi madre guardaba una bonita polvera. Me pregunté qué aspecto tendría la casa si espolvoreaba el suelo con los polvos como si hubiera nevado. Tomé la polvera y me puse manos a la obra. Luego caminé por el suelo espolvoreado y observé la forma de mis pisadas sobre la nieve artificial. Entonces, como eso me había divertido mucho, fui a buscar las tijeras de mi madre para ver con qué más me podía divertir. Tijeras en mano, me dirigí a mi habitación y empecé a recortar formas de hojas y de árboles en mi manta verde. Al poco rato, mi madre me oyó sofocando mis risas en mi habitación y vino a ver qué pasaba. En vez de castigarme, «captó» que yo no necesitaba hacer la siesta. De hecho, a partir de ese día, aunque nunca me dio explicaciones, no me volvió a mandar hacer la siesta, y yo pasaba los mediodías con mis lápices de colores, mis tijeras y mis pinturas junto a ella en su estudio de arte.

Siempre me gusta recordar esto, porque no es sólo una historia personal de pasar a la acción, sino también del instantáneo y bello reconocimiento que hubo por parte de mi madre de que yo necesitaba expresar mi creatividad en vez de hacer la siesta. Aún ahora sigue siendo así, y cuando tengo la oportunidad de elegir entre descansar y expresarme, siempre opto por lo segundo. Mi acción tuvo un gran impacto, a una temprana edad puso mi vida en la dirección correcta.

Actuar y la infancia

Una de las razones por las que suele ser tan difícil actuar por cuenta propia es porque, a diferencia de mi historia con mi madre, en la infancia suelen reprimir nuestras acciones. Nos dicen que ciertas cosas son inaceptables. Los padres, por sus propios temores y su sentido de protección, suelen reprimir la energía, la creatividad, la pasión (ya sea sexual o de otra índole), la iniciativa y la fuerza de sus hijos: «No hagas esto o lo estropearás todo», «No hagas aquello, porque te harás daño», «No hagas esto otro, ¿qué pensarán nuestros vecinos?», «No te pongas esta ropa, todos pensarán que eres rara».

Suelen decirnos las acciones que son aceptables según determinados patrones educativos. A raíz de ello, en lugar de desarrollar valor y originalidad, nuestras acciones son repetitivas y poco originales. A fin de recibir su aprobación, para conseguir ese amor sin el que pensamos que no podemos vivir, aprendemos a reducir el mundo de nuestras acciones. En vez de aventurarnos con valentía en el viaje de descubrimiento de las formas de expresión a través de las cuales nos conoceremos (y que con el tiempo también se convertirán en el medio por el que nos podremos entregar al mundo), nos limitamos a realizar las acciones por las que sabemos que nos aceptarán.

En lugar de ponerte los tacones altos y cantar en tu dormitorio, aprendes a vestirte con corrección y a callar. En lugar de ser actriz, acabas siendo secretaria. En lugar de irte a la India, te vas al centro comercial. En lugar de ser una amante apasionada, aguantas veinticinco años de matrimonio sin pasión. De un modo u otro, debido al tema de tu vida, aprendes a ir sobre seguro, a contenerte, a limitar tu grandeza viviendo con escasez, «según las reglas».

Por estas razones, es difícil actuar, y a veces, en lugar de estar inspiradas por un sueño, las acciones que cambian nuestras vidas están originadas por la represión que nos rodea. Esto sucede cuando hacemos algo que nuestros padres jamás hubieran imaginado, así como cuando nuestras acciones toman el rumbo esperado porque nuestros padres han conseguido que nuestro mundo fuera tan inseguro y caótico que reaccionamos tratando de crear un mundo estructurado y en calma.

Stephanie, cuya madre había tenido numerosas aventuras ante sus narices y las de su propio esposo, actuó no casándose con el abogado de empresa con el que soñaba su madre, sino con un carpintero normal y corriente que ella jamás habría aprobado. Durante mucho tiempo los padres de Hank insistieron en que se hiciera ministro de la Iglesia, y él finalmente se dedicó a interpretar música rock. Cuando a Sharon, la estrella del grupo de teatro del instituto, su madre le dijo que lo mejor que podía hacer era sentar la cabeza y quedarse en su ciudad natal, ella se marchó a Nueva York a probar suerte. A Ken su padre le dijo que debía seguir sus pasos y estudiar medicina, y él se puso a trabajar en una fábrica de conservas y luego se sacó un doctorado en teología. De una forma u otra, la atmósfera que crean nuestros padres define la naturaleza de nuestras acciones. Nos da miedo actuar y reaccionamos o actuamos de una forma distinta debido al rol que esa acción desempeñó en nuestra relación con ellos.

Cuando iba a la universidad, al terminar las clases tenía que hacer un trayecto de una hora en autobús para ir a mi trabajo en el hospital. Cada día veía a la misma anciana en el trayecto. Con el tiempo empezamos a hablar. Un día que nos habíamos sentado juntas, otra persona que estaba sentada delante de nosotras leía la revista *Life* que mostraba en portada la foto de unos famosos alpinistas. La mujer se fijó en la fotografía y dijo que le recordaba a su hijo. «Cuando era adolescente le encantaba escalar», me comentó. Luego empezó a contarme un montón de cosas poco habituales que su hijo había hecho de joven. Yo le respondí que con todas esas experiencias debía de tener una vida muy interesante. Al decirle eso, la mujer guardó silencio durante un momento y la expresión de su rostro cambió. Después me dijo que su hijo había fallecido en un accidente mientras escalaba una montaña. Le dije que lo sentía. Al darme las gracias, me contestó: «Bueno, ésa era su vida, no me extrañó que sucediera. Murió siendo él mismo». Luego me explicó que siempre se había sentido en paz con su muerte porque falleció haciendo algo que le apasionaba.

A pesar de su pérdida, esa madre tenía un corazón lo bastante grande para aceptar que su hijo adoraba el montañismo. No le impidió que lo practicara, incluso era tan comprensiva que reconocía que incluso su muerte fue como él quería.

¿Y ahora qué?

Los patrones de acción o inacción que desarrollamos en la infancia suelen estar tan arraigados que cuando llegamos a adultos somos prácticamente incapaces de actuar por nosotros mismos. Es decir, actuamos conforme a lo que hemos aprendido de nuestros padres. Si éstos eran irresponsables y estaban un poco locos, aprendemos a sujetar las riendas y a vivir una vida de orden y paz. Si eran conservadores, callados y tensos, aprendemos a rebelarnos, a vivir salvajemente. Sólo más adelante —en nuestra vida actual o durante las crisis en nuestras relaciones— podemos descubrir los nuevos tipos de acciones que hemos de crear para crecer.

Cualquiera que fuera el repertorio de acciones de nuestra infancia, nuestra situación y nuestras relaciones actuales serán las que nos conducirán a toda una nueva serie de acciones. Vicki, por ejemplo, tomó una decisión tan espectacular que ella misma se sorprendió. Estuvo casada ocho años con un hombre al que le gustaban todas las mujeres. Como no se valoraba lo suficiente, intentó explicar la conducta de él de varias formas: «Como fotógrafo, era normal que admirara la belleza; los dos éramos muy jóvenes cuando nos casamos; ya se le pasará, he estado muy ocupada

con los niños y quizá no le he dedicado suficiente tiempo». Al final, durante una terapia recordó que su madre siempre se quejaba y de pronto decidió divorciarse. Se dio cuenta de que tolerar
aquella conducta era dejarse tratar de la misma forma que la habían tratado de pequeña y que era una manera de no quererse.

Formas de actuar

Hay muchas áreas en las que puede que tengas que actuar. A continuación citaré algunas de las más comunes.

Cuidar tu salud

Kyle estaba obeso desde hacía muchos años. A los treinta y tantos
le sobraban más de 68 kilos y su médico le dijo que corría un grave riesgo de sufrir un infarto. Se sentía fatal. Aunque había pro-
bado muchas dietas, nunca era capaz de seguirlas. Perdía siete u
ocho kilos y volvía a sus viejos hábitos y, tras el intento frustrado,
al final terminaba más gordo que antes.

Un día se cansó de tantas dietas y de estar bajo la amenaza de
someterse a una operación de reducción de estómago y acudió a
un terapeuta holístico. Bajo su guía, Kyle inició un régimen hipo-
calórico, empezó a tomar zumos de verduras y perdió casi veinte
kilos. Se encontraba tan bien siguiendo su nuevo régimen que al
cabo de un año y medio había perdido todos los kilos de más y
adoptó de manera permanente este nuevo estilo de vida. Ahora
su estado de ánimo ha dado un giro de ciento ochenta grados.
Tiene un cuerpo nuevo y su autoestima ha crecido. La sencilla
—aunque no tanto— acción de responsabilizarse de su cuerpo
fue una forma de quererse.

Establecer límites con los demás

El esposo de LeeAnn tenía problemas con la bebida. Un sábado por la noche, tras otra juerga, LeeAnn recogió todas sus cosas y se las puso en la puerta en dos grandes bolsas de plástico.

Cuando llegó a casa bebido e irrumpió en la sala de estar haciendo un agujero en la puerta, ella llamó a la policía e hizo que le arrestaran. Le había dicho cientos de veces que su forma de beber era intolerable, pero, por supuesto, él no le había hecho caso. Esa noche se dio cuenta de que hablar no era suficiente. Aunque muchas otras veces había pensado hacer algo, esa noche de sábado reunió el valor suficiente para pasar a la acción.

Nunca más le dejó regresar. Durante un tiempo él se lo suplicó. La atacó en todos sus puntos débiles, pero cuando estaba a punto de ceder emprendió otra acción: empezó a asistir a las reuniones de Al Anon. Con el apoyo de la gente de Al-Anon —una asociación para ayudar a los familiares y amigos de personas alcohólicas— acabó tomando otra decisión: divorciarse.

Realizar tu destino

Tom fue el encargado de una tienda de deportes durante muchos años. Tenía dieciséis empleados, un buen sueldo y siempre fue muy popular entre las personas que estuvieron a su cargo. Era un buen organizador y sabía tratar a la gente. Le encantaba la historia y siempre había querido ser profesor de esta asignatura en la universidad. Creía que la historia contenía importantes lecciones para el presente y sentía grandes deseos de compartirlas con la siguiente generación. Había empezado a trabajar como encargado desde muy joven y tras la temprana muerte de su padre a los cuarenta y cinco años no tuvo más remedio que ayudar a su familia.

Veinte años más tarde, Tom estaba al límite. Afortunadamente, en ese tiempo había comprado un par de casas como inversión, en una de las cuales vivía. Un día, inspirado por su desdicha —según sus propias palabras—, se marchó de la casa en la que vivía, alquiló una habitación y empezó a trabajar a tiempo parcial para terminar sus estudios universitarios. Al final dejó el trabajo para poder hacer su master. Ahora es profesor de historia en una universidad y trabaja en su tesina para sacarse el doctorado. «Enseñar llena mi alma», según él. Nunca se había sentido tan bien como ahora.

Ser quien realmente eres

Después de sentirse insatisfecha en su matrimonio durante veinte años, Sue asistió a un congreso sobre orientación profesional para mujeres con la esperanza de iniciar una carrera en la mitad de la vida que pudiera llenarla. Sus hijos ya eran mayores, pero siempre había sentido que había algo en ella que no funcionaba, porque a pesar de haber disfrutado la maternidad, nunca se había sentido satisfecha consigo misma.

Durante el congreso Sue conoció a una mujer que le resultó muy inspiradora. Lauren había montado su propio negocio y viajaba por todo el país promocionando sus productos. Era atractiva y enérgica y, por supuesto, se sentía bien consigo misma. Una noche, después de la sesión, Sue y Lauren salieron a pasear. Mientras caminaban por el recinto del congreso, Lauren rodeó a Sue con sus brazos y la besó, y antes de que pudiera darse cuenta, Sue se sorprendió besando a Lauren apasionadamente.

Sorprendida e incluso atónita por su comportamiento, se dio cuenta de que Lauren le había proporcionado aquello que le faltaba. A través de esa sencilla (y a la vez compleja) transacción, Sue reconoció su verdadera identidad sexual. En un proceso largo y en ocasiones doloroso, se separó de su marido y empezó a explorar las relaciones con otras mujeres. Ahora, por primera vez en su vida, siente ella misma —es como realmente es— y, a pesar de que a veces tiene que solventar temas delicados con su ex marido y sus hijos, es mucho más feliz de lo que jamás hubiera imaginado.

Atravesar la barrera del miedo

Dana se marchó de acampada a las montañas con su novio Grant y su hermana Naomi. No la conocía y estaba muy contenta de que él quisiera presentársela. Sin embargo, una vez en la montaña, Dana empezó a sentirse mal. Ella era una chica de ciudad y como Grant y su hermana recorrían las colinas como un par de gamos, empezó a rememorar una serie de viejas creencias de no estar en forma, de no ser atlética, de ser patosa e incompetente físicamente, que es lo que su hermano y los otros niños y niñas de la escuela le decían.

Estos sentimientos continuaron aflorando hasta que al cabo de una hora los tres montaron la tienda bajo los árboles al lado del río. Grant estaba exultante por estar allí y enseguida vio la vieja cuerda que colgaba por encima del río. «Vamos», le dijo a su hermana. Naomi, inmediatamente, se agarró a la cuerda, se envolvió en ella y saltó al agua para cruzar el caudaloso río. Un minuto después, Grant agarró la cuerda, se envolvió en ella y también cruzó. Ahora, además de sentirse torpe, también tenía miedo y se sentía abandonada.

Grant salió del río, le tomó la mano y la arrastró hacia la cuerda para que también saltara. Dana tenía un miedo atroz. Estaba empezando a decirle que jamás sería capaz de hacerlo cuando de pronto una fuerza inesperada se apoderó de ella. Agarró la cuerda, colocó bien los pies sobre el gran nudo que había al final, retrocedió todo lo que pudo y se lanzó al río. Dice que en el momento en que tocó el agua se sintió renacer. Ahora recuerda aquella zambullida como el instante en que encontró el valor para probar cualquier cosa. «La antigua patosa desapareció en el río», nos cuenta. Dana aumentó su autoestima en un momento al agarrarse a la cuerda y saltar a pesar de su miedo.

Ensalzar el concepto que tienes de ti mismo

Tras seis meses de relación, Bonnie le compró un caballo a su novio. A ella le encantaba montar y a él también, pero hacía poco que le habían despedido y no andaba bien de dinero. Bonnie tenía su propio caballo y normalmente alquilaban otro en la cuadra para pasear juntos, que era una de sus mayores aficiones. Un día pusieron en la cuadra el anuncio de que se vendía uno de los caballos que Doug solía montar. El precio era módico y puesto que a ella le iba bien en su trabajo decidió regalárselo.

Bonnie siempre había sido una niña muy guapa y sus padres le decían que conseguiría todo lo que deseara. Aunque para algunas personas eso pueda parecer un cumplido, el énfasis que sus padres ponían en ese aspecto hacía que Bonnie sintiera que sus otras cualidades no eran importantes. De hecho, siempre se menospreciaba, porque a diferencia de otras personas que ella consideraba que tenían mucho talento o que sabían usar su cerebro, ella sólo era una cara bonita. En lugar de darle confianza, la obsesión de sus padres por su belleza le hacía sentir que lo único que podía hacer era estar en un escaparate y esperar a que apareciera alguien que cuidara de ella el resto de su vida.

Cuando conoció a Doug ya había empezado a ir a la facultad para cursar estudios de procuradora. Cuando tuvo suficiente dinero se compró un caballo. Cada una de estas cosas la ayudaron a valorarse más, a aceptarse como era. Pero al comprarle el caballo a Doug sintió ese bienestar como nunca lo había sentido antes. Descubrió que era una persona capaz de dar y amar. Aunque sus padres la ridiculizaron —«No tenías que hacer eso por él; eres demasiado guapa, ¡es él quien tendría que hacerlo!»—, Bonnie halló una gran fortaleza al actuar con generosidad. Al amar a Doug, también descubrió que se amaba a sí misma.

Vivir donde quieres vivir

Sonja siempre había detestado los fríos inviernos de Connecticut y soñaba con vivir en un lugar soleado. De pequeña solía dibujar palmeras y hablar de la tierra de la eterna primavera. Por otra parte, sus padres, inmigrantes húngaros, le decían que era una soñadora, que eran afortunados por vivir a salvo en América, por que pudiera terminar sus estudios en el instituto y encontrar un buen trabajo. Sonja terminó sus estudios en el instituto y consiguió un buen trabajo, pero era desgraciada. No tenía esperanza, no se valoraba y se sentía atrapada. Los largos inviernos la deprimían.

Un día recibió una postal de una amiga del instituto que se había ido de viaje a Maui para practicar surf. Al ver las hermosas playas y las palmeras, Sonja se dio cuenta de que ése era el lugar con el que siempre había soñado. Entusiasmada, les habló a sus padres de Maui, pero le dijeron que se lo quitara de la cabeza. Sonja lo tuvo claro. Empezó a trabajar más horas, ahorró todo lo que pudo y cuando tuvo suficiente dinero se compró un billete de avión, hizo las maletas y, sin decir nada a sus padres, se marchó. Ahora hace seis años que vive allí y le encanta. Hasta sus padres han ido a visitarla. Aunque a veces ha tenido dificultades económicas, nunca había sido tan feliz. En lugar de negarse esa posibilidad, ahora vive justo donde ella quería.

Expresar tu dolor

Hank empezó su primer año en la universidad después de terminar sus estudios en el instituto considerándose un perdedor y sin haber salido con ninguna chica. Se graduó a los cuatro años y siguió un máster en otra universidad, con la esperanza de que al terminar sus estudios se casaría con Sylvia.

Un fin de semana, de vuelta a casa, Sylvia fue a buscarle al aeropuerto y le dijo que había conocido a otro hombre y que ésa era la última vez que se verían. Hank quedó destrozado y regresó a la universidad muy deprimido. Conservaba todas las cartas y postales que le había mandado Sylvia, y cada noche las leía, deseando y esperando que volviera con él. Al final, dejó a un lado las cartas y empezó a salir con otras chicas. Aunque se lo pasaba bien, en el fondo siempre pensaba en Sylvia y las comparaba con ella.

Cuando terminó sus estudios encontró trabajo y se trasladó a otra ciudad. Aunque hizo buenas amistades en el trabajo, tuvo una serie de relaciones superficiales e insatisfactorias. De nuevo empezó a reprocharse que era un perdedor, que era incapaz de conservar una chica. Llevó a cabo un trabajo de crecimiento personal para averiguar cuál era su problema y recordó que de pequeño su madre le había querido mucho, pero enfermó de cáncer y murió cuando sólo tenía once años. Su padre, una persona muy poco emotiva, nunca le había dejado expresar su dolor y a los seis meses de la muerte de su madre se volvió casar.

Una noche, tras recordar su pasado, salió a cenar con Paula, una compañera de la universidad. Después de que Hank le hablara largo y tendido sobre Sylvia, Paula le sugirió que fueran a su casa para que le enseñara las cartas de Sylvia. Una vez allí, le animó a que leyera cuantas pudiera en su presencia y que, tras hacerlo, si se sentía bien, las quemara en la chimenea. Con Paula a su lado y abrazándole, Hank se permitió llorar mientras leía las cartas una a una. Luego se dio cuenta de que además del joven que lloraba por haber perdido a su primer amor, estaba el niño que lloraba la pérdida de su madre. Con este acto reconoció que en aquel momento se quería de un modo en que su padre jamás le quiso y que se permitía demostrar su dolor.

Tras expresar su pena, Hank dijo que se sentía fuerte y con las ideas claras, sentía que podría vivir sin una mujer si ése era su destino. Pero curiosamente, una semana más tarde empezó a salir con Paula, la mujer que había presenciado su mar de lágrimas. Al poco tiempo, me comentó que había quemado todas las cartas de Sylvia y seis meses después me llamó para comunicarme que él y Paula se iban a casar.

¿Cómo sabes que es el momento de actuar?

La respuesta es sencilla: a veces lo sabes, a veces no. Unas veces realizarás conscientemente una acción, otras te darás cuenta de que actúas de manera espontánea y que esa acción te mostrará lo que tienes que cambiar.

En cualquier momento de tu vida en el que sientas que no te quieras puedes responder positivamente emprendiendo alguna acción. Por ejemplo, Julie estaba muy frustrada por todo el caos que había en su vida y porque no conseguía centrarse. Iba a la universidad, pero le costaba mucho estudiar. No sacaba buenas notas y se culpaba por todo el dinero que se estaba gastando en sus estudios y el poco provecho que sacaba de ellos. Un día, viajó a Arizona para visitar a unas amigas y las acompañó a una sociedad protectora de animales porque una de ellas quería adoptar un gatito. Una vez allí recorrieron las jaulas donde estaban los cachorros. Un cachorrillo de perro de color negro que estaba en una de las jaulas la miró y empezó a lamerle la mano. Sin pensárselo ni un momento, decidió llevárselo a casa. Al hacerlo actuó por impulso —«Un cachorro era lo último que necesitaba», me dijo—, pero eso cambió su vida.

Estaba deprimida y el cachorro le dio felicidad. Su vida estaba desestructurada, le costaba centrarse, y el cachorro le dio una estructura y un motivo para centrarse. Cuando ves a Julie retozando con su perro al momento te das cuenta de que hizo lo correcto. Ella misma reconoce que adoptar a *Canyon* fue lo mejor que podía haber hecho.

En otros casos, a diferencia de Julie, puede que planifiques la acción a conciencia. Por ejemplo, puede que decidas que te sentirás mejor si realizas el sueño de tu vida, que requerirá dar muchos pasos y mucho esfuerzo.

Debido a sus responsabilidades familiares, Bob siempre había pensado que era imposible realizar su sueño: navegar en velero desde San Francisco hasta México. Pero cuando sus hijos se hicieron mayores decidió hacer algo al respecto. Empezó a ahorrar cada semana. Al cabo de un año se compró un barco y dos años después hizo el viaje con algunos amigos. Dice que haber hecho realidad su sueño ha cambiado por completo su concepto de sí mismo. En lugar de sentirse un perdedor incapaz de conseguir lo que quería, ahora se siente una persona valiosa, merecedora de sus propios sueños. Está convencido de que será capaz de realizar cualquier otra cosa que sea importante para él y que ya puede morir en paz. En lugar de sentirse víctima, ahora siente que dirige su vida.

Tu turno

1. ¿En qué consiste actuar para ti? ¿Qué acciones puedes o deberías realizar en estos momentos? Por ejemplo, puedes decir que para ti actuar consiste en cuidar más tu cuerpo: acostarte más pronto, tomar vitaminas cada día, hacer ejercicio un par de veces a la semana, tirar todos los cosméticos que sabes que contienen productos químicos.

2. Escribe los pasos específicos que has de dar para llevar a cabo la acción que tienes en mente. Por ejemplo: llamar al gimnasio, ahorrar el dinero para poder pagarlo, comprarte ropa de deporte, comprobar cuál es el mejor camino para ir al gimnasio, calcular a qué hora te tendrás que levantar para hacer ejercicio antes de ir a trabajar.

3. ¿Cuáles serán las consecuencias de esta acción en concreto? ¿En tu concepto de ti mismo? ¿En la respuesta de los demás?

Además de emprender nuevas acciones y de deshacerte de los vínculos familiares de tu propia conducta, existen otras formas de actuar por cuenta propia. Son los pasos que das para responder a los demás y a las situaciones que se presenten en tu vida. Por ejemplo, para responder a tu esposo, a tu jefe, a tus hijos, a tu amante o a un empleado grosero de los grandes almacenes. Según lo que experimentes con ellos, adoptarás una nueva conducta que cambiará tu estado de ánimo.

Ellen, madre de cuatro hijos, nunca tenía tiempo para ella y solía lamentarse de lo dura que era su vida debido a su esposo e hijos. Al final, se cansó de sentirse siempre tan mal y decidió hacer algo. Dijo a su marido y a sus hijos que cada noche después de cenar se reservaba cuarenta y cinco minutos para ella. Utiliza este tiempo para meditar, darse un baño relajante o sentarse tranquilamente a leer. Al principio su marido se enfadó. ¿Cómo podía dejarles a él y a los niños durante cuarenta y cinco minutos cada día?

Pero Ellen no cedió. Sin amargura ni lamentos, les comunicó a todos que iba a tomarse esos cuarenta y cinco minutos para ella.

Puesto que no lo hizo con malos modos y servía para reafirmar su valía, no sólo pudo seguir su plan, sino que también cambió el concepto que tenía de sí misma, así como el que su esposo y sus hijos tenían de ella. Puesto que estaba relajada y dedicaba un tiempo a cuidarse, dejó de quejarse, y al dejar de quejarse, su esposo la valoró más. Como se sentía renovada, el tiempo que pasaba con sus hijos era de más calidad. Cuando estaba con ellos, les prestaba toda su atención. Podía escucharles. Al cabo de un tiempo, su esposo en lugar de lamentar ese rato que ella se dedicaba, empezó a protegerlo. «Ahora, no molestéis a mamá, es su tiempo libre», les decía a los niños. Puesto que él protegía su privacidad, ella le sentía más cerca. En resumen, después de seis meses, todo el mundo estaba de acuerdo en que el tiempo que Ellen se dedicaba era lo mejor que podía haber hecho, no sólo para ella misma, sino tambien para los demás.

Podemos realizar acciones similares para reafirmarnos en todas las áreas de nuestra vida: en el trabajo, con nuestra familia y amigos, con las personas que tratamos en contextos sociales o laborales, donde notamos que no recibimos el trato que nos merecemos. En lugar de reprocharte que te has comprado el coche equivocado, puedes dejar de ir al taller donde nunca parecen tener la pieza de recambio necesaria para repararlo. En lugar de culparte por haber elegido mal la empresa en la que trabajas porque tus compañeras te distraen siempre con su cháchara acerca de sus novios, puedes comprarte un reproductor de CD portátil y escuchar música agradable mientras trabajas. Si por culpa de tu mejor amiga siempre llegas al cine cuando la película ha empezado porque llega tarde a tu casa, ve tú a buscarla o elige a otra persona para ir al cine. Si tu hermana siempre lleva suflé de berenjenas a la cena familiar de los domingos por la noche y a ti te sale urticaria porque eres alérgica a las berenjenas, no te lo comas. Si tu hermano siempre te recuerda lo mala que eres jugando al tenis, deja de jugar con él.

En cualquier situación tenemos la oportunidad de actuar a nuestro favor o de engañarnos. De nosotros depende. Como es natural, no siempre serás capaz de realizar una acción de amor hacia ti *motu propio*. Al principio puede que sólo seas capaz de identificar cuál es esa acción. Puede que necesitemos sufrir esa situación o a esa persona tres o cuatro veces antes de tener el valor de actuar. Pero incluso pensar en el problema con una nueva visión de respeto hacia uno mismo es una acción. Es lo que hace girar la rueda. Y cada vez que a ese pensamiento le siga una nueva conducta, empezarás a sentirte mejor, porque te habrás respetado.

Actuar crea el cambio. Ni siquiera necesitas creer que eres estupendo para actuar, *la acción hará que te sientas mejor*. Es mágica. Cuando vayas al gimnasio para ponerte en forma, te sentirás mejor. Cuando pintes de rosa tu dormitorio, te sentirás más feliz. Cuando te apuntes a las clases de piano que siempre has querido tomar, te sentirás satisfecho. Cuando actúes como si merecieras los cambios a los que aspiras, empezarás a sentir que en verdad te los mereces. Actuar remodela tu conciencia. Actuar te ayuda a descubrir tu amor por ti.

7

Hacer limpieza

«En el vacío hay sitio para muchas cosas.»

ALBERTUS BRATT

Hacer limpieza significa desprenderse de algo y dejar espacio libre. Aplicado a quererte, significa crear un espacio de claridad para ti. Éste es el tercer paso, uno muy importante, para aprender a amarte. Cuando limpias creas espacio en tu mente, en tu entorno, en tu cerebro, en tu casa, en tu agenda, en tu armario, en tu mesa de cocina, en el desorden de tu mente consciente y en los oscuros rincones de tu inconsciente donde guardas esa mala opinión que tienes de ti. La palabra «limpiar» es muy bella. Cuando hablamos de un claro en la naturaleza, pensamos en un claro en el bosque, un precioso espacio donde llega la luz del sol, donde pueden crecer las plantas.

Hace años viajé a Alemania y tuve el placer de conducir muchos kilómetros a través de suaves colinas cubiertas de espesos bosques de altos árboles oscuros. De vez en cuando se veía algún claro en él, un trozo de tierra abierta que se había limpiado para construir una población o crear tierras de cultivo. Cuando veía esos amables espacios en medio de los bosques, pensaba en la magnitud de la energía que se había necesitado para crearlos, en las muchas horas de trabajo humano, en el número de sierras, hachas, caballos y carros que habían sido necesarios para conseguir paz y espacio en medio de esos densos bosques, en el amor que había creado ese claro.

En nuestro camino hacia la autoestima será bueno y necesario hacer una limpieza en la oscuridad creada por nuestra imposibilidad de amarnos. Al igual que con las hermosas poblaciones en medio de bosques que recorrí en mi viaje, conseguir esos claros no es tarea fácil. Se necesita energía, tenacidad y fortaleza. Necesitaremos valor y un firme propósito. Eliminar de nuestra vida lo que ya no nos pertenece requiere devoción, no sólo a la tarea, al trabajo de limpiar, sino también —y por encima de todo— a uno mismo.

El valor de estar limpio

Cuando estás limpio, el mundo también lo estará para ti. Cuando hay claridad en tu mente y tu corazón, sabes lo que tienes que elegir, adónde has de ir y con quién has de recorrer tu senda. Cuando tu cuerpo está limpio —de toxinas, de emociones negativas, de exceso de peso y de parloteo mental—, tu alma puede encaminarse hacia la bondad, la verdad y la belleza. Cuando tu cuerpo, tu mente y tu corazón están limpios, puedes moverte con rapidez hacia el amor a ti mismo.

Cuando de algún modo tu vida está abarrotada de cosas inútiles, resulta complicado obtener esta claridad. Cuando el garaje de tu casa está lleno de potes de pintura, alfombras, bicicletas rotas y el árbol de plástico de la Navidad pasada, es difícil aparcar sin chocar con algo. Cuando tu mente está llena de críticas y acusaciones, es difícil que veas tus talentos. Cuando tu corazón está lleno de dudas, cuesta amar. Cuando tu cuerpo tiene un pacto con la dejadez, no resulta fácil tener claro cuál es tu destino.

Cuando tu cuerpo, tu mente y tu corazón o tu espíritu están llenos de cosas que no les son propias, cuesta saber dónde estás. Es difícil llegar a ser lo que te pide tu ser superior y es casi imposible quererte. Puesto que el desorden y la complejidad son enemigos de la claridad —de la visión clara que proporciona el amor—, es de suma importancia que hagas limpieza.

Verte con claridad y aceptar lo que ves... es amor.

Una de las cosas que hacen los cuáqueros para alcanzar esa visión clara es pedir ayuda a lo que ellos denominan el comité de la claridad. Por ejemplo, una persona puede preguntar: «¿Por qué siempre acabo cuidando de los demás?», o bien «¿Por qué me cuesta tanto pagar mis deudas?» Entonces cada uno de los miembros del comité hace una serie de cuestiones abiertas al que ha planteado la pregunta inicial, es decir, preguntas que no contengan juicios ni prejuicios sobre lo que el que ha planteado la pregunta considera que debería ser la respuesta. Mientras se plantean estas preguntas abiertas y la persona responde en voz alta a cada una de ellas, consigue ver con más claridad el asunto que le abrumaba. Al observar el problema desde una perspectiva nueva y diferente, la persona que plantea la cuestión puede ver ese asunto de forma distinta, libre de sus propios prejuicios y de sus respuestas habituales. De este modo se crea un claro mental. Este proceso, que es un don del amor, me lo transmitieron dos queridas amigas en un cumpleaños y llenaron mi mente de claridad para el año que estaba a punto de comenzar.

Puedes encontrar claridad con el siguiente proceso. Toma una hoja de papel y pregúntate dónde quieres aportar claridad en tu vida. Por ejemplo: «¿Qué se interpone en mi camino para que encuentre el verdadero amor?», «¿Por qué me cuesta tanto encontrar el trabajo de mi vida?».

Entonces, muy rápido y sin pensar, escribe las cinco primeras respuestas que se te ocurran, por ridículas que te parezcan. Aparta el papel y no pienses más en ello.

Al día siguiente, o al cabo de varios días, plantea esa pregunta a cinco personas que conozcas. «Rob, ¿por qué crees que me cuesta tanto enamorarme?», «Jan, ¿por qué crees que no tengo novio?» Recoge las respuestas y escríbelas en otra hoja. Cuando tengas todas las respuestas compáralas con las tuyas. Te sorprenderá comprobar lo mucho que tienen en común. En alguna parte de ti ya está clara la respuesta a la pregunta que te atormenta y te sorprenderá descubrir que las opiniones de tus amigos o conocidos coinciden en algunos aspectos con las tuyas.

Eric se preguntó por qué le costaba tanto conseguir un «buen» trabajo. Sus cinco respuestas fueron: «No estoy lo bastante preparado», «Tengo miedo», «Tuve una infancia difícil», «No tengo ropa buena», «Me sorprendería que triunfara». Durante la semana siguiente, le hizo la misma pregunta a cinco personas. Paul, su mejor amigo, le dijo: «Tienes que dejar de pensar que no eres inteligente». Su hermana pequeña le respondió: «Tendrás que perdonar a papá y a mamá». Su hermano le contestó: «Te sorprenderías de tu propio éxito». Una chica que servía la comida en un *self-service* le dijo: «No tengo la menor idea». Y su compañero de trabajo en la tienda de informática comentó: «Eres muy inteligente, pero me parece que no te lo crees».

En resumen, estas respuestas se se parecían mucho a las de Eric y en ambos casos se concluía que éste no se consideraba una persona demasiado inteligente y que le daba miedo el éxito.

Ya sea pidiendo ayuda a un grupo de personas o por ti mismo, es muy importante que alcances una visión clara de lo que te preocupa. En el camino de aprender a quererte, esta claridad te proporciona la oportunidad de verte a ti mismo de una forma nueva, de abandonar el concepto negativo que tienes de ti y verte de una forma más positiva.

Limpiar y el concepto que tienes de ti

Todos tenemos alguna idea básica de quiénes somos, de lo bueno y lo malo que hay en nosotros, de las cosas en las que somos un desastre y de aquello que podríamos conseguir. Los psicólogos lo llaman noción «de nosotros mismos». En el caso de una persona que se aprecia, esta noción de quién es coincide bastante con quien realmente es y con la opinión que tienen de ella los demás.

Pero en las personas que tienen problemas para quererse, esta noción está muy distorsionada debido a los hábitos mentales descritos en el capítulo 2.

Las personas a las que les cuesta quererse tienen un «concepto muy pobre de ellas mismas». Es decir, tienen una o varias opiniones que son incorrectas, en el sentido negativo, y en ellas persisten inconscientemente a pesar de que desean sentirse mejor. Aunque sepas que tienes que quererte más, puede que te digas varias veces al día de diversas formas que no vales mucho. Las formas de transmitir este mensaje pueden ser externas o internas. También puedes demostrar esas conductas irrespetuosas comiendo en exceso, con adicciones, viendo demasiado la televisión u obsesionándote con Internet. Si una persona tiene una noción incorrecta de sí misma, dirá cosas como: «No sé hacer nada bien», «Soy un negado para todo», «Estoy gorda» (cuando en realidad pesa diez kilos menos de lo que debiera) o «Nadie se enamorará de mí» (cuando en realidad ha tenido una serie de buenas relaciones).

La buena noticia es que si tienes una noción distorsionada de ti mismo puedes cambiarla. Puesto que se ha creado con el tiempo, con el tiempo también se puede modificar. Como ya hemos visto, podemos empezar a hacerlo hablando claro y actuando, lo que inmediatamente nos dará pruebas concretas de que el concepto que tenemos de nosotros mismos es falso. En este tercer paso de limpiar, construyes conscientemente un concepto de ti mismo más saludable al eliminar los mensajes viejos y crear otros nuevos.

Ésta es la razón por la que la primera parte de nuestro proceso de limpieza debe ser crear un espacio en nuestra mente consciente para desarrollar un nuevo concepto de nosotros mismos. Puedes acelerar este proceso desarrollando tu percepción y observando cuánta negatividad hay en tu forma de pensar sobre ti. A partir de ahora, en lugar de escuchar las críticas que sueles hacerte, simplemente empieza por decirte que no las escucharás más. Puede que te suene extraño que el mero hecho de decirte que no hagas una cosa funcione, pero así es. Del mismo modo que escuchabas todo lo negativo —y respondiste creando un concepto negativo de ti—, también puedes desconectar esas voces, dejar que floten en el éter y permitir que surja una visión más positiva de ti mismo. Cuando todo este parloteo negativo haya desaparecido, tendrás la oportunidad de que surja tu verdadero yo.

Puedes acelerar el desarrollo de tu concepto positivo creando lo que llamo el *Libro del concepto de uno mismo*. Puedes hacerlo así: compra una libreta que te guste y a partir de ahora cada vez que alguien te diga un cumplido anótalo en ella. Por ejemplo, si en una conversación alguien te dice que eres una persona que sabe escuchar, que eres muy divertida o que tienes una sonrisa maravillosa, lo escribes. Tal vez parezca pedante, pero cuanto más lo hagas, más cambiarán tus mensajes internos. En lugar de atesorar viejos mensajes sobre tu incompetencia, tu espacio interior empezará a llenarse de un concepto positivo de ti mismo.

Mientras sigues anotando estas cosas, te darás cuenta de que las personas que te observan tienden a responder a cómo eres. Las habrá que mencionarán tu bella sonrisa, otras se fijarán en lo divertido que eres, muchas otras hablarán de tu inteligencia o el gusto que tienes para vestirte. En lugar de sentirte abatido, destrozado o inadecuado como te pasaba antes, te darás cuenta de que tienes aspectos hermosos, divertidos, valiosos y extraordinarios. Surgirá una nueva imagen.

Cómo mantener el nuevo concepto de ti mismo

Además de crear una nueva identidad positiva, también tendrás que mantenerla eliminando a las personas, experiencias y hábitos que refuercen la antigua imagen que tenías de ti. Mi amigo T. J. se crió en Harlem, dejó a su familia y se fue a la costa Oeste porque estaba harto de oír que era un perdedor y que un día le mataría una banda callejera. Se sentía tan traicionado por la opinión que tenían de él, aunque en el fondo sabía que él no era así, que un buen día tomó un autobús y se marchó a California. Durante muchos años su familia no supo dónde estaba, probablemente pensaron que le habían asesinado. En California empezó a practicar meditación, descubrió su aspecto espiritual y se hizo budista. Pasados unos años, cuando regresó a su casa, se enteró de que habían asesinado a su padre, y fue él quien dio apoyo moral a la familia durante esta tragedia. Les aportó serenidad y ellos a su vez le hicieron un regalo. Le respondieron con alabanzas, aprecio y con un sorprendido y unánime reconocimiento de su cambio positivo.

No siempre hay un final feliz cuando excluyes de tu vida a las personas que no te apoyan. A veces tu crecimiento positivo pasará inadvertido. Por ejemplo, después de muchos años de sufrir las burlas de su hermano mayor, por ser una empollona y una rata de biblioteca, Brette se marchó de casa, se puso a trabajar y siguió sus estudios en la universidad. Se especializó en niños discapacitados y escribió un libro sobre el tema. Unos años más tarde, cuando la universidad de su ciudad natal la invitó a dar una conferencia, le sorprendió encontrar a varios de sus sobrinos y a sus dos hermanos entre la audiencia. Su conferencia fue un éxito y salió publicada en el periódico local, pero ninguno de sus familiares la felicitó al terminar la charla. Aunque se sintió herida por ello, en lugar de intentar verles o buscar su aprobación, se fue a cenar con sus compañeros universitarios para celebrarlo y se marchó de la ciudad sin hablar con ninguno de sus parientes. Desde entonces no ha vuelto a comunicarse con ellos.

Limpiar y quererse

Tanto si lo que quieres es deshacerte de tu energía negativa, los objetos viejos, las malas actitudes, los reproches, las viejas costumbres, las personas que te irritan y que te hacen ir en la dirección incorrecta, como si tan sólo necesitas algo de espacio para que entren cosas nuevas en tu vida, es muy importante que elimines de ella lo que ya no te pertenece. Porque siempre que hay un espacio, ya sea en tu sala de estar, en tu mente, en el alma, en el cajón del armario, en el ropero o en tu inconsciente, que está ocupado con algo que no sirve para afirmarte, no hay sitio para algo que sí te reafirma, como un vestido nuevo, una gran idea, el hombre al que amas, la fe en ti misma. Cuando un espacio está ocupado, está ocupado. Cuando tu vida está llena de basura, no puede llenarse de felicidad; cuando está llena de desprecio, sin duda no puede estarlo de amor.

La naturaleza aborrece el vacío, es una ley física. Esto significa que intenta llenar el vacío con la plenitud. Es como si la naturaleza contemplara el vacío como una invitación o una oportunidad para llenarlo. Si un espacio está lleno, no se puede hacer nada en él. Si está vacío, invita a la naturaleza a la magia, a llenarlo con algo. Eso es justamente lo que mejor hace la naturaleza, Dios, la fuerza o como quieras llamarlo. La Naturaleza, como buena hospedera, siempre llena las plazas libres, pero si ya no hay alojamiento da por hecho que las cosas son como deben ser y sigue su curso.

Las leyes de la física no luchan contra el statu quo. Por eso, todo lo nuevo, ya sea una persona, una experiencia, una actitud, una amiga, una amante, una visión, un hábito, un sombrero, una mascota, una serpiente o un cachorrillo, no luchará y pasará de largo. Estas cosas sólo entrarán si encuentran sitio. La plaza libre es su invitación. La limpieza es la señal de que pueden entrar. Lo nuevo, sea lo que sea, tiene que saber que lo estás esperando y lo deseas, ha de saber que estás disponible. Allí fuera, lo que quiera que sea, está esperando a que le hagas un hueco. Quiere que te quieras y que lo invites a entrar.

Por qué es tan difícil eliminar cosas

Es muy difícil desprenderse de cosas, aunque sepas que has de hacerlo. Hay un par de razones para ello. Nuestras almas llegan limpias a este mundo, son una *tabula rasa*, como se decía antiguamente. Es decir, llegamos a este mundo como una hoja de papel en blanco. La *tabula rasa* en realidad era una tablilla de piedra que se usaba para escribir y que se utilizaba una y otra vez, puliéndola en cada ocasión, de modo que todo lo que contenía desaparecía por la acción de la muela de pulir. Esas tablillas de piedra fueron uno de los primeros instrumentos de escritura. Aunque creas que todos hemos vivido multitud de vidas, cuando llegamos a ésta la tablilla de nuestra alma individual ha sido pulida hasta quedarse en blanco. En esta tablilla de piedra se escriben las historias de nuestra vida. Palabra a palabra, sílaba a sílaba, tragedia a tragedia, todos los acontecimientos de nuestra historia individual quedan grabados en la tablilla de nuestra personalidad y nuestra alma.

Los temas de nuestra vida de los que he hablado antes se van grabando poco a poco en nuestra mente. Desde la claridad prística de nuestra conciencia en el momento de nacer, la piedra en blanco de nuestra alma se mancha y corrompe debido a las personas, experiencias, enseñanzas, pérdidas, confusiones, violaciones y maltratos que forman parte ineludible de toda existencia humana. En lugar de responder a la vida con claridad, estamos confundidos. En lugar de saber, tenemos preguntas. En vez de tener confianza en nuestro maravilloso ser, nos sentimos incómodos, inseguros, padecemos crisis de autoestima, dudamos de nosotros mismos y nos suministramos fuertes dosis de desprecio.

Aunque todos intentamos remediar aquello que nos hace sufrir, también estamos muy apegados a los hábitos que hemos creado para combatir los problemas. Willem, por ejemplo, creció en medio de una tremenda pobreza. En su Europa natal, se ganaba algunos céntimos al día acompañando a un mendigo ciego por las calles. En su casa, una choza situada en un extremo del campo de cultivo de un granjero, no había agua ni calefacción. Will pertenecía a una familia de once hermanos y él era uno de los de en medio. Los fines de semana acompañaba a su padre con una pala a buscar carbón a las carboneras para poder calentarse. Es evidente que su infancia estuvo marcada por las terribles cir-

cunstancias por las que pasó su numerosa familia y por la imposibilidad de su padre de darles lo que necesitaban. Will empezó a
trabajar para ayudar en casa. Poco a poco, a medida que iba ad-
quiriendo medios, comenzó a sentirse fascinado por los maravillosos objetos de la vida. Cuando veía un libro que le llamaba la
atención, un jarrón o un par de zapatos, trabajaba más para com-
prárselos. Estaba compensando su carencia.

En esos tiempos, Will trabajaba tanto que tenía dinero para
comprar muchas cosas. Su finalidad en la vida era adquirir objetos. No podía reprimirse. Quería todo lo que veía. Cada vez trabajaba más para satisfacer todos sus caprichos. Al final estaba
rodeado de objetos, enterrado por sus posesiones, desbordado.
Con el paso del tiempo empezó a odiarse por haberse rodeado
de aquel caos de cosas inútiles, pero seguía sin poder deshacerse
de ellas. Hacerlo era como desprenderse de una parte de sí mismo. Se encontraba dividido entre el desprecio que sentía por llevar una existencia demencial abarrotada de cosas y el temor a
desprenderse de ellas.

Al igual que Will, todos tenemos cosas, aunque no sean objetos de consumo, con las que intentamos mitigar el sufrimiento
que hemos vivido durante la infancia, y nos convertimos en personas que evitan así quererse a sí mismas.

Si has envuelto tu cuerpo en grasa para protegerte del dolor que te ocasionaron los abusos sexuales que padeciste, seguramente te juzgarás por los kilos de más. Si eres tan brillante e
inteligente porque tu padre nunca reconoció tu inteligencia,
probablemente te reprocharás que pierdas a tus amigos por ser
tan dominante. Si eres una persona complaciente porque tu
madre te rechazaba y la única forma que tenías de atraer su
atención era atender todos sus deseos, probablemente te odiarás por ser demasiado estúpida. Si te entregas a cualquier hombre porque tu padre nunca reconoció tu belleza, te odiarás por
valorarte tan poco. Si te responsabilizas de todos porque tu
madre era una alcohólica lunática que no se ocupaba de la

casa, probablemente te odiarás por agotarte al intentar que todo esté en orden.

Aquello que hayas hecho para compensar el sufrimiento en tu infancia, probablemente será lo que más te atormenta ahora. También es lo que has de cambiar, lo que has de erradicar de tu vida.

Compensación y apego

La razón por la que nos cuesta tanto desprendernos de las cosas es porque nos identificamos con ellas. Nos gustan las conductas que hemos desarrollado para compensar lo que ha sucedido en nuestra infancia. Nos resultan familiares. Durante un tiempo, fueron nuestra única tabla de salvación, gracias a ellas sobrevivimos. La idea de eliminarlas nos asusta. ¿Qué haremos sin ellas? ¿Con qué las sustituiremos? De momento, las utilizamos para definirnos. ¿Quién podría vivir sin ellas? Estamos tan apegados que no podemos imaginarnos la vida sin su presencia.

Hemos desarrollado conductas que se suponía que nos iban a ayudar. Intentábamos resolver el problema de la falta de amor según nuestras necesidades, para poder crecer y vivir como los seres únicos que somos. Nos las arreglamos como pudimos con la esperanza de remontar nuestro espíritu, pero aquellos comportamientos que nos sirvieron entonces ahora nos hunden. No son conductas que reflejen nuestra verdadera alma y, mucho menos, que nos ayuden a querernos.

Independientemente de cuáles sean los mecanismos de defensa que hayas desarrollado, ya sea recopilar miles de objetos, pasar tan inadvertido que no eres más que una sombra cuando vas a algún lugar o servir a todos en este planeta salvo a ti mismo, ahora estás demasiado apegado a esa forma de ser. Sea lo que sea lo que hayas hecho para intentar compensar esa carencia afectiva de la infancia, en el presente, con la costumbre y tu apego, se ha convertido en la causa por la que no te quieres.

Las formas de limpieza

Puede que tengas que realizar varias limpiezas. Las que vienen a continuación son algunas de las más habituales.

Abrir huecos

Una gran parte de la limpieza que debemos hacer está directamente relacionada con los espacios, las estructuras y las circunstancias de nuestras vidas, con la geografía personal de nuestra existencia. En estas áreas nos centraremos en la limpieza material. A veces es tan sencillo como limpiar nuestra mesa de trabajo, deshacernos de ropa vieja u ordenar el garaje. Todas son formas de limpiar en el mundo material. Como nos dicen los expertos en *feng shui*, ésta es una forma muy importante de hacer limpieza. Si tu mundo está desordenado, también lo estará tu conciencia. Limpiar los espacios y las estructuras materiales de tu vida es un buen comienzo. Al igual que el claro en el bosque, limpiar en el aspecto material crea espacio para que entren cosas nuevas. También te ayudará a crearte una nueva opinión de ti. Cuando observas el mundo con tranquilidad, sientes más paz. Cuando miras un armario ordenado, notas que tu vida no es tan caótica. Cuando tienes espacio para respirar, te sientes más feliz de estar vivo.

Al igual que Will, a Barb le gustaba estar rodeada de cosas. Sus padres habían sido muy pobres y de pequeña siempre le decían que tenía que guardarlo todo porque «nunca se sabe cuándo lo vas a necesitar» o «no tires eso porque puede que nunca vuelvas a tener otro igual». Sus padres guardaban en el desván bolsas de papel y cuerdas, tornillos, clavos, bisagras, gomas elásticas, bolsas de plástico, fiambreras, ropa y zapatos viejos. Le enseñaron que ella también tenía que guardarlo todo y, de hecho, la reñían si veían que tiraba algo.

Ya de adulta era incapaz de tirar nada. Su apartamento estaba abarrotado de cosas: ropa vieja, radios, televisores que le habían dado, regalos, baratijas, tarjetas de felicitación, publicidad que recibía por correo, muestras de productos que se había visto obligada a aceptar en la tienda. Todo lo que le daban lo guardaba, tanto si lo necesitaba como si no. Con el paso del tiempo, esas cosas llegaron a ser más importantes que ella misma, cuidar de ellas era su trabajo. Estaba atrapada por sus propios objetos, no podía mantenerlos todos.

Al poco tiempo de acudir a hacer terapia para hablar de su problema, Barb decidió cambiar de trabajo. Unas semanas más tarde, sus compañeros le hicieron una fiesta. Como muestra de afecto le obsequiaron con tarjetas, un montón de regalos y baratijas que no necesitaba y no sabía dónde colocar.

Era consciente de que su apego a las cosas era su forma de compensar la falta de amor de sus padres. Esta vez, en lugar de buscar un lugar donde guardar todos los regalos que le habían hecho en la fiesta, los puso en una bolsa sin mirarlos de nuevo y los depositó en la parroquia más próxima. Me dijo que era una de las cosas que más le había costado hacer en la vida y, de hecho, estuvo a punto de volver a pedir que le devolvieran la bolsa. Cuando llegó a casa se sentía culpable y asustada por haber «tirado tantas cosas», pero poco después empezó a sentirse liberada. Por primera vez en su vida se sentía más importante que sus cosas.

Después de ese primer paso contrató a una persona para que la ayudará a limpiar su apartamento. Tiró más de sesenta bolsas de objetos. Al repasar las cosas que decidió guardar se dio cuenta de que tenía verdadero interés en el arte y en su propia creatividad. Unos meses después empezó a tomar clases de pintura y ahora ya ha hecho varias exposiciones de su obra.

Limpiar nuestra conciencia

> «Ser consciente sin juzgar crea el cambio.»
>
> TIM GALLEWEY

Más importante aún que hacer limpieza en nuestro mundo material es limpiar nuestra mente, nuestra conciencia, nuestra forma de pensar sobre nosotros mismos y sobre nuestra vida. Son niveles de limpieza más sutiles que crean espacio para el crecimiento y el cambio. Cuando hacemos este tipo de limpieza, eliminamos las ideas y actitudes que abotargan nuestro inconsciente, que nos atormentan y que nos mantienen anclados en los sentimientos de inferioridad. También limpiamos nuestra mente consciente y la forma en que pensamos y hablamos de nosotros.

El primer paso para limpiar nuestra mente es ser conscientes. Quizá no te has percatado de cómo te atormentas, de esa idea que tienes de que no te puede pasar nada bueno, de que eres un perdedor. Quizá nunca hayas prestado atención a las desagradables palabras que se han ido repitiendo en tu mente una y otra vez. Ser consciente es el principio del cambio. ¿Que te ha estado diciendo tu mente y cómo has respondido? ¿Estás de acuerdo con esa maldita voz, la que te dice que no vales, que nunca lo conseguirás, que por qué vas a volver a intentarlo?, ¿o te rebelas contra ella?

Limpiar la mente es un proceso consciente. Es decir, has de estar muy atento. No te sentirás limpio simplemente porque decidas sentirte mejor respecto a ti o porque desees no ser tan duro contigo. A veces el proceso de desarrollar nuestra conciencia y silenciar aquello que no es saludable ni útil requiere la ayuda de un terapeuta, un maestro espiritual o un testigo. Alguien que nos escuche objetivamente, un observador, muchas veces puede ver con más claridad que tú. Esa persona puede ayudarte a identificar las palabras, actitudes, sentimientos y hábitos negativos que has de eliminar.

Mara tenía mil formas de ofenderse verbalmente. Cuando se levantaba por la mañana se miraba al espejo y decía: «¡Oh, Dios mío!», como si hubiera visto una bruja. Cuando miraba en su armario, se reprendía por no tener nada decente que ponerse. Cuando iba a trabajar, se reprochaba el desorden de su mesa y no ser capaz de rendir suficiente. Se preguntaba por qué la habían contratado, puesto que no era lo bastante inteligente para ese puesto. La letanía continuaba hasta llegar de nuevo a casa. No sabía qué cenar y se criticaba por no planificar sus comidas mejor. Seguía así hasta que se acostaba y entonces se lamentaba de irse a dormir tan tarde.

Esas voces de reproche siempre eran lo más duro de sus noches de insomnio. Oía cómo enumeraban todas sus estupideces y limitaciones, hasta que se hundía por completo.

Cuando me habló de esas voces incesantes y de su pasado comprendí que eran un eco de los constantes y brutales comentarios, juicios y críticas de sus padres: «¿Por qué eres tan estúpida? ¿Por qué no puedes hacer nada bien? ¿Quién te ha escogido alguna vez para algo? ¿De dónde has sacado ese conjunto tan horrible? ¿Quién te va a querer como amiga? Pareces un muerto con todo ese maquillaje». Mientras vomitaba todas estas críticas devastadoras en mi consulta se vino abajo. Esos terribles comentarios estaban tan arraigados en su psique porque ella los había estado repitiendo durante toda su vida.

Le sugerí que ya que sabía hablar consigo misma, podía cambiar el contenido de sus mensajes, es decir, podía seguir hablándose pero para decirse algo distinto. Lo primero que le recomendé fue que cuando se despertara por la noche y empezara a oír las voces que la menospreciaban dijera con firmeza: «No os voy a escuchar más». Fue sencillo y así lo hizo. Me dijo que le funcionó al momento. Las voces de crítica y desprecio desaparecieron.

Luego la animé a que hiciera una lista de lo que tenía que decir para desplazar esas voces agresivas. Esto es lo que escribió:

- Sólo me hablaré con amor, seguridad y respeto.
- Sólo escucharé a las personas que reflejen lo mejor de mí.

Vivir según estas reglas ha supuesto un gran desafío para Mara; pero cuanto más se las repite, más se valora y más capaz es de recibir las alabanzas de los demás.

Para facilitar este proceso también utilizó una sencilla herramienta de modificación de la conducta. Se compró un rosario de cuentas de madera y siempre lo llevaba en la muñeca, para tocar las cuentas y decirse una frase de alabanza siempre que se hacía un comentario poco amable. El método puede parecer simplista, pero es muy eficaz para reprogramar las actitudes mentales. A Mara le funcionó, también te puede funcionar a ti.

Limpiar las «vibraciones»

Otra forma de limpieza es la energética. En este tipo de limpieza te desprendes de las energías que tienen el poder de dejarte sin fuerzas. En un plano sutil, en lugar de apoyarte en tu proceso de quererte, minan tu fortaleza, socavan tu resolución para seguir tu senda con confianza. Hay varios tipos de limpiezas energéticas. A veces se ha de limpiar la energía de una persona, a veces la de un lugar. Hay muchas personas que acuden a un chamán o a un sanador para «limpiar» la casa a la que se van a ir a vivir. En realidad, lo que pretenden es erradicar las vibraciones de las personas que vivieron antes en ella, para dejar sitio a nuevos sentimientos, objetos y acontecimientos. La mayoría de las personas no notamos esas energías sutiles de los lugares. Entramos en una casa, nos gusta el color, el número de habitaciones, el jardín y decimos: «Ésta es la casa, voy a comprarla». Pero, del mismo modo que nuestras historias emocionales dejan una huella en nuestras células, las energías de las personas que han ocupado las casas y los espacios en los que vamos a vivir dejan una estela, la marca de su energía. Cuando entramos en el lugar que han ocupado, también entramos en el campo energético que han dejado grabado. Esto no sucede sólo con los espacios físicos, sino también en nuestro cuerpo, donde queda grabada la energía de las personas con las que hemos tenido conexiones emocionales y físicas. Eso no quiere decir que esas impresiones tengan que ser siempre negativas, simplemente están presentes. Dejan como una película que a veces nos impide ver nuestras necesidades o cómo queremos ser en una situación en particular.

Una vez fui a Nueva York y una amiga me ofreció su apartamento para que pudiera trabajar en el libro que estaba escribiendo entonces. Mi amiga acababa de trasladarse allí, pero se había marchado de vacaciones y me había dejado la llave debajo del felpudo. Hacía una preciosa tarde soleada el día que llegué. En la sala de estar había una hermosa mesa de despacho, donde coloqué todo mi equipo para escribir. Desde la ventana se veía una bella vista del río. En el cielo había algunas nubes blancas. No obstante, cuando me senté a escribir me sentí extrañamente incómoda. Me levanté, di algunas vueltas, me tomé un vaso de agua y me volví a sentar. Ese malestar continuó durante algunas horas. Al final, sin saber por qué, sentí que nunca estaría cómoda en aquel lugar, ni para escribir ni para dormir. Recogí mis cosas, llamé a un taxi y me marché a un hotel.

Unas semanas más tarde mi amiga volvió de sus vacaciones y me preguntó qué me había parecido el apartamento. Primero le di las gracias por su ofrecimiento, pero luego le tuve que decir que, en realidad, no había llegado a usarlo. Le hablé de mi extraño malestar y le dije que tuve que marcharme. Me escuchó con curiosidad y terminamos nuestra conversación. Al cabo de unas semanas volvimos a llamarnos y me contó que había hablado con sus vecinos y que poco antes de que ella se trasladara al apartamento había vivido allí un hombre que padecía un cáncer terminal y que en sus últimos días de agonía acabó con su vida de un tiro. Aparentemente, yo había notado su energía. Al poco tiempo mi amiga llamó a una curandera nativa americana para que limpiara su apartamento con salvia y otras hierbas, pero al cabo de seis meses se marchó porque nunca consiguió estar cómoda allí.

Tanto para mi amiga como para mí ese apartamento contenía energía que nos hubiera perjudicado si hubiéramos permanecido en él. En mi caso, quererme supuso marcharme aquella tarde; en el de mi amiga, fue hacerlo unos meses después. Aunque a algunas personas estas acciones les parecerán absurdas, el efecto de las energías restantes del suicidio eran palpables para las dos y alejarnos de ellas supuso un acto de amor hacia nosotras mismas.

A veces las energías que hay que limpiar estarán en los objetos que poseemos. Por ejemplo, Crystal tenía un juego de maletas que le había regalado su novio. Era muy bonito y también caro. Cuando se lo regaló, se quedó impresionada de que le hiciera semejante regalo. Ella viajaba mucho y un juego de maletas era un buen regalo. Sin embargo, ya al principio notó que eran muy pesadas, demasiado para que le resultaran cómodas. Tras aceptarlas y darle efusivamente las gracias, le mencionó delicadamente su preocupación por el peso. Su novio, en vez de responder prestándole atención e intentando resolver el problema, le dijo que había buscado mucho y que eran las mejores que había encontrado. Le aseguró que con el tiempo se acostumbraría al peso.

Crystal las usó durante varios años. Su novio la convenció de que se acostumbraría a llevar maletas pesadas, pero siempre le resultaron demasiado incómodas. Muchas veces, cuando regresaba de un viaje llegaba tan dolorida que tenía que pedir hora para que le dieran un masaje y su masajista solía decirle en broma que podía notar una maleta en cada uno de sus hombros.

Al final Crystal rompió con su novio. Una vez, en uno de sus viajes, vio una maleta plateada barata y ligera. Se la miró con ganas de comprarla, pero puesto que las maletas que le había comprado su ex novio todavía estaban en muy buen estado (tal como él había predicho), no se la compró. Al año siguiente regresó a esa misma ciudad en un viaje de negocios y volvió a ver la maleta en unos almacenes. Esta vez la compró. Se la llevó a su casa y la puso en su armario, pues le alegraba la vista. Quería tirar las otras maletas, pero no podía hacerlo. Su armario estaba lleno a rebosar, pero cada vez que pensaba en tirar las maletas de su ex novio, las palabras de éste venían a su mente.

Entonces se daba cuenta de que había algunos detalles en su nueva maleta que no eran tan prácticos como los de las que él le había regalado. Sintiéndose culpable por haberse equivocado en su compra, decidió volver a usar las viejas maletas en su siguiente viaje. Mientras hacía el equipaje recordó que su padre siempre le hacía llevar pesadas cajas de tornillos y grandes tablas de madera cuando él trabaja en alguna obra. Era contratista y le hubiera gustado tener un hijo para que le ayudara en su trabajo. Y a ella la había tratado como a un chico y nunca le había permitido tener nada bonito.

Cuando hizo esta conexión empezó a llorar. Se dio cuenta de que al acceder a las exigencias de su novio había vuelto a experimentar el trato que le había dado su padre. En un arranque de ira se fue al armario, sacó las maletas, se fue hasta el vertedero y observó con alegría cómo las trituraban. Cuando se marchó de allí sintió que por fin amaba a la hija que su padre nunca había aceptado. Empezó a usar su maleta plateada y hasta la fecha dice que su compra fue el inicio del viaje hacia su autoestima.

Al igual que Crystal, puede que te sientas estancado por algún objeto o experiencia desagradable. Busca su conexión con tu pasado y limpia todo lo que te haga falta para empezar a quererte.

«Despedir» a la gente

En el aspecto energético, siempre estamos rodeados por el aura y la energía de las personas con las que nos relacionamos. Cuanto más conscientes seamos de nosotros mismos, más conscientes seremos de cómo nos afectan las energías de los demás. Por ejemplo, puede que hayas notado que realmente no te diviertes cuando vas de compras con tu amiga Mary. En lugar de disfrutar del placer de ir de compras, Mary se queja de que nunca encuentra nada que le guste en las tiendas, critica a la gente de la calle por no saber vestirse y te comenta que el café que habéis tomado en la acogedora cafetería vienesa no valía nada. En lugar de pasártelo bien, te sientes agotada y deprimida y, además, curiosamente, te has percatado de que todo lo que has comprado cuando ibas con ella no te gusta demasiado. De hecho, las compras que has hecho con ella han acabado en el cubo de la basura. Mary bien podría ser una de esas personas que debas alejar de tu vida. No te ayuda a tener más energía, más bien te la absorbe.

Lo mismo sucede con muchas otras personas en nuestras vidas. Unas son «desagües» como Mary. Otras son «usuarias», personas que siempre necesitan algo y lo toman sin devolver nunca el favor. Otras, simplemente, han cumplido su función en tu vida y ahora es correcto que sigas sin ellas.

Las empresas despiden a las personas que no hacen bien su trabajo, que ya no son útiles para sus fines o que están en un puesto que no les corresponde. Tú también puedes y debes despedir a las personas que ya no pertenecen a tu vida.

Elaine tenía una amiga, Lynn, a la que conoció al poco de trasladarse al nuevo vecindario. Una noche Elaine empezó a sentirse muy mal y, antes de caer sin sentido en su sala de estar, gritó para pedir ayuda. Acudió una vecina a la que aún no conocía, Lynn, que estaba paseando con su perro y al oír los gritos fue a socorrerla. Llamó a una ambulancia y la llevó al hospital, donde descubrieron que había sufrido un shock anafiláctico debido a una fuerte reacción alérgica a las gambas.

A raíz de ese «rescate» Lynn y Elaine se hicieron amigas, empezaron a ir juntas al cine y a veces salían a cenar. Elaine pronto empezó a notar que no estaba del todo cómoda con Lynn, pero se sentía en deuda con ella porque prácticamente le había salvado la vida y seguía tratándola como amiga.

Al cabo de un tiempo, Lynn empezó a frecuentar la casa de Elaine, se tumbaba en el sofá para ver la televisión, se ponía cómoda e iniciaba aburridas conversaciones. Como Elaine tenía un trabajo que le exigía bastante y por la tarde iba a aprender a hacer masajes, las interrupciones de Lynn le resultaban bastante molestas. Algunas veces Elaine le comentó que prefería que no se presentara en su casa sin avisar.

El tiempo pasaba y Lynn hacía caso omiso de sus peticiones y seguía presentándose sin avisarla. También quería seguir saliendo con Elaine. Puesto que la mayoría de esas salidas parecían inofensivas, Elaine continuó saliendo, pero nunca se lo pasaba realmente bien. Una noche le dijo que tenía ganas de dejar las clases de masaje y que quería ir a trabajar a un crucero. Al decirle esto, Lynn trató de convencerla sobre lo poco práctica que era esa vida, le dijo que estaba loca por plantearse semejante cosa —no era una fuente de ingresos segura— y que los demás podrían aprovecharse de ella mientras estuviera en el barco cruzando los océanos. Sobre todo si estaba dando masajes.

Para Elaine ésa fue la gota que colmó el vaso. Acabaron de pasar la tarde juntas y al día siguiente llamó a Lynn y le dejó un mensaje en el contestador en el que le decía que su amistad ya no le era útil y que necesitaba ponerle punto final. Lynn también le dejó un mensaje en el que le echaba en cara que era la persona más egoísta que había conocido, ¿cómo podía hacerle eso después de haberle salvado la vida? Luego le dijo que creía que estaba agotada y que mejor que la volviera a llamar para disculparse y poder ir al cine juntas el viernes. En lugar de responder a ese chantaje emocional, Elaine simplemente ignoró ese mensaje, le escribió una nota repitiéndole sus intenciones y siguió con su vida.

Mientras Elaine vivía este proceso, recordó que cuando era pequeña su abuela la había cuidado después de haber estado a punto de morir debido a una encefalitis. Al cabo de los años, cuando su abuela se hizo mayor, se fue a vivir con los padres de Elaine. Por aquel entonces, ella era una adolescente, y aunque su abuela era muy cascarrabias y exigente, ella atendió todas sus necesidades hasta su muerte. Jamás se le ocurrió negarse a hacer lo que le pedía su abuela porque ella la había cuidado muy bien cuando era pequeña. Entonces se dio cuenta de que también había tenido otras relaciones parecidas y que siempre había sentido que no merecía otro trato porque de alguna manera «estaba en deuda» con esas personas. A partir de entonces, decidió que sólo permitiría la entrada en su vida a una persona si ella la había elegido. Darse el poder de elegir fue una forma de amarse.

Limpiar tu cuerpo

Nuestro cuerpo es el destinatario de todos los mensajes psicológicos y físicos que se han grabado en él. Los quiroprácticos que tratan a adultos pueden hallar pruebas de traumas infantiles en el cráneo y en la columna de sus pacientes. Puede que cuando tenías ocho meses te cayeras de la trona. Tu madre te cogió en brazos y, como dejaste de llorar, pensó que estabas bien. Estabas bien, no te había pasado nada grave, pero el impacto de esa caída quedó quedado archivado en tu esqueleto. Lo mismo sucede con todas nuestras experiencias psicológicas, las drogas que tomamos, la comida que ingerimos, los sonidos que escuchamos, las imágenes que vemos, los gestos de afecto que recibimos. Todo esto también se manifestará a través de nuestro cuerpo, en nuestra salud, en nuestro aspecto físico, en el sobrepeso, en nuestra resistencia física, en cómo nos sentimos emocionalmente respecto al sorprendente templo de nuestro espíritu.

Muchas enfermedades físicas comunes tienen relación directa con la comida. La depresión se ha relacionado con el azúcar y el alcohol. El trastorno por déficit de atención se ha asociado con los colorantes alimentarios rojos y de otros colores. Eso no significa que todas las depresiones o trastornos por déficit de atención se deban a la comida, pero sí quiere decir que lo que comemos, lo que introducimos en nuestro cuerpo, puede influir significativamente de distintas maneras en nuestra conducta y en nuestra opinión de nosotros mismos.

Vivimos en un mundo tóxico. Hay cientos de productos químicos catalogados por la Organización para la Agricultura y la Alimentación como tóxicos para el delicado organismo humano. Todos los días ingerimos, inhalamos, nos lavamos el pelo o nos pintamos las uñas con venenos. Estamos rodeados de sustancias químicas en nuestro trabajo y en nuestro hogar, desde las pinturas y tejidos sintéticos hasta las alfombras. Todo esto afecta a nuestra salud física y emocional. Estos productos químicos crean enfermedades, acortan nuestra vida e influyen en cómo nos sentimos. La persona que tiene una salud excelente, en general, posee una mejor opinión de sí misma que otra cuyo cuerpo es un almacén de productos tóxicos.

Al igual que con otras formas de limpieza, el primer paso que hay que dar es ser consciente. Has de conocer todas las sustancias a las que expones normalmente tu cuerpo y luego decidir qué pasos vas a dar. Puede que también tengas que pensar en tus kilos de más y seguir un programa que te ayude a perderlos. Hay muchas alternativas para la limpieza física, como el ayuno, los cambios de dieta, los regímenes para perder peso y los programas de doce pasos.

Hacía muchos años que Mike fumaba marihuana, desde que iba a la universidad. No era adicto, pero fumaba todos los días. Su adicción más que física era psicológica. Observó que cada día, cuando regresaba del trabajo, no se le ocurría nada mejor que sentarse en el sofá y colocarse.

Mike era arquitecto y tenía éxito en su carrera, pero aunque se justificaba de diversas maneras —todavía soy joven, mi trabajo me agota, no lo haría si tuviera novia, todos nos merecemos un descanso—, en realidad detestaba ese hábito. En lugar de valorarse por su éxito profesional, se culpaba por no ser capaz de hacer otra cosa que fumar marihuana cuando llegaba a casa. Así que, además de colocarse cada noche, se castigaba por hacerlo.

Una noche recordó que por más éxitos que hubiera tenido de pequeño, su padre siempre encontraba un motivo para criticarle. Por ejemplo, sacaba sobresaliente en todas las asignaturas, pero su padre le criticaba por no haber guardado el cortacésped en el garaje; ganaba el trofeo de baloncesto y su padre le echaba en cara que había sacado un notable en ciencias.

Al final, Mike se dio cuenta de que se estaba tratando igual que le había tratado su padre. Había desarrollado una mala costumbre —por lo cual también se criticaba— y no tenía en cuenta sus grandes éxitos. Se le ocurrió que quizá se había creado ese hábito para tratarse como le había tratado su padre, porque ese trato ¡le resultaba familiar! La noche que hizo esa conexión dejó de fumar marihuana. Ya han pasado dieciséis años desde entonces. Cuando habla de esa experiencia cuenta que lloró durante varios días después de abandonar su hábito. «Estoy seguro de que por una parte se debió a la abstinencia química —me dijo—, pero en un plano más profundo sé que fue porque por fin amaba al niño que mi padre jamás había amado y me aceptaba tal como soy.»

La dicha de limpiar

Al igual que las personas a las que me he referido en este capítulo, a medida que descubras las áreas que has de limpiar, también descubrirás con gran asombro y alegría que te empiezan a suceder cosas buenas. El universo vendrá en tu ayuda. Te hará regalos: nuevas personas y experiencias, más espacio, oportunidades, pero sobre todo hará que te aprecies. Menos es más. El vacío llena. Lo nuevo restará importancia a lo viejo.

Piensa ahora por un momento en esta pregunta: ¿qué áreas crees que necesitas limpiar más? Revisa los tipos de limpieza que necesitas y comprométete a empezar a limpiar al menos una de esas áreas esta semana.

8

Iniciar el camino

Nunca puedes resolver el problema
en el mismo nivel del problema...

MAHARISHI MAHESH YOGI

Sólo hay una forma de conseguir amarnos de verdad: ser conscientes de que nunca estaremos totalmente satisfechos en el aspecto psicológico. Los «terribles errores de la infancia», como llamó una vez el poeta William Stafford a nuestras heridas psicológicas, nunca pueden ser totalmente compensadas en una sola vida humana. Aunque puedes hacer muchas cosas para reivindicarte en un ámbito psicológico, el verdadero milagro de quien realmente eres sólo lo percibirás en un marco más elevado.

Cuando te encuentras en un atasco de tráfico —con frenazos, bocinazos y gente que se grita—, parece que la agresividad del mundo entero se concentra en esa calle y sientes tu entorno como algo hostil. Otras veces estarás en un avión y asistirás a la bella amplitud del planeta, verás los vehículos como hormigas, los grandes rascacielos como meros puntos de luz y la Tierra como un tranquilo y hermoso lugar.

Lo mismo sucede con el amor hacia uno mismo mismo. La imagen siempre tiene dos caras. En el aspecto emocional, conocerte es una tarea de la personalidad. Significa que aunque seas una persona que tropieza y se equivoca, también celebras tu paso por la vida, deseas la tranquilidad de sentirte lo bastante bueno como para seguir adelante, tener el corazón en paz cuando te acuestas y la suficiente confianza en ti mismo como para afrontar las vicisitudes de la existencia. Pero en un plano superior, en un plano espiritual, amarte significa amar tu esencia, y ésa es otra cuestión bastante distinta.

Si has aplicado las enseñanzas transmitidas en los tres primeros pasos de este libro, probablemente ya habrás encontrado más consuelo en tu vida, así como momentos en los que te habrás apreciado realmente. Sin embargo, quererte de verdad, la inquebrantable dicha de reconocer a ese «tú» del que he hablado al principio del libro, jamás la alcanzarás recomponiendo tu desestructurada psique. Además de los tres pasos anteriores, que pertenecen al ámbito psicológico, has de ser consciente de un Yo superior, un Yo que está más allá de tu yo habitual, el Ser que transciende al ser, la esencia eterna que ha cobrado vida durante un tiempo en la forma de tu yo actual. Esta esencia trasciende todos los dramas y traumas psicológicos que has padecido. Está por encima de tu corazón roto, de tus logros e incluso del legado que dejas tras de ti. Este Yo no tiene nombre, ni rostro, es eterno y radiante. Este Yo sabe quién eres y lo que has venido a hacer. Este Yo sabe que de lo único que trata todo este maravilloso, confuso y agotador viaje de la vida es del amor, no es más que una enseñanza sobre el misterio y la majestuosidad del omnipresente océano de amor del que todos procedemos y al que todos regresaremos.

Todos somos amor, todo lo que sufrimos, soportamos o soñamos es con el fin de recordarnos ese único hecho. Es muy difícil recordar esto. Puesto que únicamente podemos hacerlo de vez en cuando —para muchas personas este concepto es como un animal salvaje que merodea por los aledaños de la conciencia—, solemos vernos atrapados en el plano en el que se rompen las relaciones, se producen los atascos de tráfico, perdemos el trabajo, nos peleamos con la suegra; estamos en nuestra butaca de cine de barrio sin tener ni la menor idea de que nuestra película también se proyecta en un lujoso cine de estreno; cada película no es más que una escena de la gran obra que siempre se está representando en el mundo, la obra llamada Amor.

Es muy difícil recordar esto.

La vida humana es un sendero hacia la verdad grande y eterna de que nuestra vida es una cuestión de amor y, al mismo tiempo, una gran distracción que nos oculta ese sendero. De hecho, la única forma en que realmente podemos llegar a amarnos es contactar con esa visión, ver que formamos parte del todo, recordar que somos amor y que somos amados.

Para llegar a una verdadera compasión, has de considerarte parte de esta totalidad, que mereces pertenecer a ella. Tienes un lugar en la eternidad, eres un ser de valor incalculable, has sido elegido. Saber esto puede darte mucha paz. Pero conseguirla requiere atención, hacer un giro consciente. Para llegar a un destino, has de emprender el viaje.

Has de empezar a caminar por un nuevo sendero, hacia un nivel superior, hacia aquello que tiene más sentido. Has de dejar atrás lo que has hecho siempre y partir hacia algo nuevo. Para partir, has de empezar reconociendo que hay un lugar en alguna parte al que merece la pena dirigirse, al que todavía no has llegado y donde recibirás más.

Emprender el viaje implica lo desconocido, dar el primer paso aunque no conozcas tu destino. Es largo el camino. No sabes con qué te encontrarás, si serán decepciones o revelaciones, atajos o desvíos, peligros o milagros, tigres o ángeles. No importa, tú partes con el sentimiento de que algo te espera, con el compromiso de descubrir lo que es. Cuanto más firme sea tu compromiso, más descubrirás de ti.

A veces sentimos que cuanto más nos centramos en nosotros, más nos queremos, y cuando se trata de temas psicológicos, así es. Entrar en un proceso de sanación emocional puede llevar mucho tiempo y requerir mucha concentración. Como ya hemos visto, es muy importante ser conscientes de nuestros conflictos psicológicos. Pero también es importante descubrir nuestra voz interior y dejarla hablar, actuar, limpiar lo que se interpone en nuestro camino, crear espacio interior y exterior. No obstante, después de haber hecho esto, es aún más importante seguir la senda de la entrega a algo que pueda mostrarte que formas parte de la totalidad, no de tu totalidad, sino de la del universo.

Sólo en ese contexto se disolverán los mezquinos horrores de tu vida, se manifestará la verdadera belleza de tu existencia. Este proceso de descubrimiento trasciende lo psicológico. Se trata de un viaje espiritual. Cuando inicias este camino, acabas encontrando tu verdadera esencia.

¿Qué camino he de seguir?

En cierto modo no importa mucho. Cualquier camino que incluya un fuerte compromiso y que sigas con determinación puede conducirte a tu esencia más profunda. El escritor Andre Dubus, en una de sus historias, habla de las personas que han seguido el camino espiritual de Alcohólicos Anónimos durante muchos años. «Sabes qué aspecto tienen —dice— cuando no han bebido durante años. Como si hubiera una parte de ellos que nada en el mundo puede alterar.» Se estaba refiriendo a esa profunda cualidad del Yo que se alcanza cuando te has comprometido verdaderamente con un camino. Del mismo modo, cuando vas a un *ashram* en la India y pasas todo un día meditando con miles de personas que también meditan, puedes reconocer en sus ojos la exquisita belleza y la tranquilidad de las personas que llevan años meditando. Es evidente que estas personas han superado el odio hacia sí mismas y se han entregado a una causa más grande. Está claro que no se despiertan por la noche intentando recomponer el intrincado rompecabezas de su falta de seguridad en sí mismas. Se respetan, quieren y saben que en su interior todo está bien.

Lo mismo te puede suceder a ti. Cuando inicies un camino hacia algo más elevado te descubrirás. No descubrirás tu yo personal, sino tu Yo sagrado, ese que no puedes hacer más que amar. Ese Yo que puede salir de ti y dar. Ese Yo que se deleitará realizando su propósito. Ese Yo dispuesto a servir. Ese Yo que no sabe más que de amor.

Hay muchos caminos que te pueden llevar a tu Yo más profundo. Las disciplinas físicas, las prácticas espirituales o las técnicas desarrolladas a un alto nivel pueden conducirte a la trascendencia. Hay una bella disciplina coreana física y espiritual que se llama Dahn Hak que he practicado durante años. Te enseña específicamente a honrar a tu cuerpo y a toda tu persona de la siguiente forma, por ejemplo: te tocas la cara y dices: «Te quiero, bello rostro», o te pones la mano en el pecho y dices: «Te quiero, maravilloso corazón». También cuenta con una disciplina física mediante la cual estas palabras se hacen realidad en un plano energético.

Cualquier forma de danza también puede ayudarte, ya sea sufí, el tango argentino, el *fox trot* o una sensual samba. Cuando bailas conectas con tu trascendencia. La meditación también te puede llevar a ese profundo lugar. La natación, el surf, dar largos paseos con tu perro. Pero no será un sólo baile, ni una sola noche en una reunión de Alcohólicos Anónimos, una mañana de práctica de Dahn Hak o una hora de meditación cada semana. Cuando emprendes un camino has de caminar por él con gracia, firmeza y decisión. Pues sólo cuando de verdad te ciñes a él te apoyará. Sólo si lo sigues de verdad dará fruto.

Cada vez que profundizas en el viaje que has iniciado, profundizas en tu relación contigo mismo. Es así porque cuanto más profundizas, más obstáculos desaparecerán para desvelar tu auténtica naturaleza. Cuantos más obstáculos desaparezcan, mejor podrás ver tu esencia. Cuanto mejor veas tu esencia, más cuenta te darás de que tu verdadera esencia es amor. Cuanto más consciente seas de que tu verdadera esencia es amor, más amor darás y recibirás. Cuanto más recibas, menos te plantearás las cuestiones de quererte. Éste es el círculo que empiezas a dibujar en el momento en que inicias el camino.

Kelly y Robert encontraron su camino. Kelly era diseñadora gráfica y Rob diseñador de *software*. Estaban casados y vivían en un apartamento de lujo en Nueva York. Los dos tenían mucho éxito y todos sus amigos admiraban su maravilloso apartamento, su infinidad de objetos tecnológicos y su estilo de vida de alto *standing*. Pero ellos no eran felices. A menudo se enfadaban, porque en el fondo ninguno de los dos era feliz.

Kelly solía decir a Rob que si fuera mejor diseñadora gráfica tendría un salario más alto y más cosas de las que tienen las personas con éxito. Rob le decía que no tenía que sentirse tan mal; él, como hombre, se sentía aún peor, porque aunque le iba bastante bien había miles de compañeros que tenían más éxito que él.

Los dos se movían siempre dentro de estos círculos. Una noche Kelly llegó a casa y se puso a ver la televisión mientras preparaba la cena. Era algo que solía hacer, pero esa noche estaba especialmente deprimida. Un colega de su empresa había conseguido el sustancioso contrato que ella esperaba para sí. Se puso a ver las noticias sobre guerras y bombardeos y luego la media docena de anuncios en los que te dicen que tu pelo no está brillante, que no tienes el mejor coche del mundo y que no utilizas los productos de limpieza adecuados. Kelly empezó a deprimirse todavía más, estaba destrozada. Pero entonces sucedió algo. Apagó la televisión, se fue a la sala de estar, se sentó y apagó las luces.

Cuando llegó Rob y le preguntó qué estaba haciendo, ella le respondió que no lo sabía. Le dijo que creía que estaba descansando, pero que no estaba segura. En vez de encender la luz, Rob se sentó junto a ella. Él también estaba deprimido. Había estado leyendo el periódico en el metro. Más noticias sobre guerras y fraudes corporativos. Había sufrido más pérdidas y se sentía fracasado. Empezaron a hablar en la oscuridad. Le contó lo vacío que se sentía, que se daba cuenta de que estaba perdiendo el tren, que sus compañeros triunfaban con mayor rapidez en su competitivo mundo comercial, que se iba quedando atrás día a día. Quería algo diferente, aunque no sabía qué era. Kelly le escuchó y luego le dijo que a ella le pasaba lo mismo. Debía de haber otro camino, los dos lo sentían así, pero no sabían cuál era ese camino.

Tras esta conversación, Kelly y Rob empezaron a cambiar muchas cosas. Dejaron de ver la televisión y leer los periódicos. Kelly empezó a practicar *hatha yoga*. Rob aprendió a meditar. Al final compartieron sus conocimientos. Su relación se estrechó más, se sentían más centrados, se aceptaban más y eran más generosos.

Al recordar su pasado, se dieron cuenta de que los dos habían sido los favoritos de su familia; de hecho, a los dos los habían mimado mucho. Sin embargo, esta condición de favoritismo también les exigía que fueran excepcionales, que sacaran las mejores notas, fueran a las mejores universidades, consiguieran los mejores trabajos, tuvieran el sueldo más alto, que él se casara con la chica más sexy y ella con el chico más triunfador.

Lo habían conseguido todo y aún se sentían vacíos. «Luego, cuando elegimos alimentar nuestra alma —dijo Kelly—, empezamos a querernos por primera vez.» A pesar de los constantes altibajos en sus respectivas carreras, encontraron paz interior y una profunda gratitud por la vida.

Al cabo de un tiempo adoptaron a una niña china. Cuando su hija se hizo más grande, decidieron cambiar de ciudad. Compraron una granja donde los dos pudieran montar un despacho de asesoramiento e iniciaron un programa de campamentos de verano gratuitos para niños de familias humildes. Así encontraron el sentido de sus vidas, a través de la paz interior y del servicio.

La naturaleza de tu camino

> «Si no te sientes bien en un lugar, ofrece tu ayuda
> y verás cómo inmediatamente formas parte de él.»
>
> GURUMAYI CHIDVILASANANDA

En una antigua fábula sobre la creación del mundo se dice que hay un ángel que susurra un mensaje a cada alma que ha de ir a la Tierra, una instrucción sobre lo que cada una se supone que ha de hacer cuando llegué allí. Aunque muchas personas se pregunten qué complicadas instrucciones debe haber dado el ángel a cada alma, su mensaje era muy simple. Sólo contenía una palabra: *Da*.

A veces pensamos que el camino que hemos emprendido es el que al final nos servirá para vencer nuestros temores, deshacernos de nuestro desprecio y relajarnos durante el resto de nuestras vidas. Eso suena maravilloso, pero lo cierto es que algunos de los caminos más sólidos para llegar a querernos implican servir a los demás. En realidad, no hay modo más sencillo ni más profundo de descubrir lo valiosos que somos, el sentido que tiene nuestra vida, todo lo que podemos ofrecer, lo maravillosos que son nuestro corazón y nuestra alma, que iniciar una práctica de servicio.

«Quienquiera que pierda su vida la encontrará.»

JESUCRISTO

Después de dos divorcios, Carrie, que ya había cumplido cuarenta y tantos, descubrió que era una persona egocéntrica. Su primer marido se quejaba de que «sólo pensaba en sí misma» y le pidió el divorcio porque no le apoyó en absoluto cuando le despidieron de su trabajo. Su segundo marido se divorció de ella porque estaba tan absorta en sus cosas que no quería dedicar nada de su tiempo a relacionarse con los dos hijos que había tenido en un matrimonio anterior. Tras su segundo fracaso matrimonial se sintió tan mal que se propuso descubrir por qué la habían rechazado de nuevo.

Gracias a su trabajo de crecimiento personal, Carrie se dio cuenta de que sus dos maridos tenían razón, era una persona muy egoísta. Para su sorpresa también descubrió que su egocentrismo no se debía a que se sintiera tan valiosa como para merecer toda la atención de los demás, sino que era justamente lo contrario, siempre había sentido que nadie la quería. De manera inconsciente, creía que sólo haciéndose ver y hablando de ella tendría alguna oportunidad de ser «lo bastante buena» para que alguien la quisiera. Paradójicamente, en lugar de responder a un acto de amor hacia ella, su obsesión por sí misma era un mecanismo de defensa para compensar ese sentimiento de no considerarse digna de ser amada.

Comprobó que su narcisismo, así como su incapacidad para entregarse a los demás, era una fachada para encubrir su infancia. Su padre les había abandonado, había sufrido abusos sexuales por parte de su hermano y le había faltado la protección de su madre, que era alcohólica.

Al ver el papel que había desempeñado el alcoholismo en su desarrollo psicológico y buscar ayuda para su crecimiento personal, optó por un programa de doce pasos. Inició un camino para vivir según los principios espirituales que han llenado su vida de bienestar. En lugar de sentarse y preocuparse por sus uñas acrílicas como solía hacer, ahora trabaja de voluntaria en la planta de enfermos terminales de un hospital. Dice que considera un privilegio poder acompañar a la gente que está a punto de morir, ver la ecuanimidad con la que suelen prepararse para abandonar el mundo, la gratitud que expresan por su amabilidad.

También cuenta que es la primera vez en su vida que sabe lo que es quererse. Al desarrollar su capacidad para dar, ha descubierto su propia valía. Ha aprendido que al apartar la atención de sí misma y entregarla a los demás, por fin ha podido comprobar que aquello que siempre había considerado que era su pequeño yo, ahora es un pozo de riqueza que compartir.

Jack, al igual que Carrie, estaba buscando fuera la solución a su «problema de amor», como él lo llamaba. Estaba frustrado porque al parecer era incapaz de mantener una relación estable. Todas las mujeres que le gustaban no tenían los atributos que él consideraba necesarios en la mujer que debía ser su compañera. Jack era técnico informático y era muy bueno en su trabajo, de modo que el no encontrar a la mujer que encajara en su sueño perfeccionista le haría sentirse muy mal.

Un día, mientras se quejaba de nuevo de la mediocridad de las mujeres del mundo, le sugerí que no se fijara en lo que podía conseguir de una pareja y que identificara lo que él podía dar. Se quedó muy sorprendido al oír esto. Jamás se le había ocurrido que una relación fuera un intercambio, una oportunidad para dar y recibir amor, y que en lugar de buscar a la «pareja perfecta» debía reflexionar sobre lo que él podía aportar a otra persona. Al pensar en esto, se desmoronó, porque reconoció que en su opinión él era un fracaso tanto en el aspecto sentimental como espiritual, que buscaba a la «mujer perfecta» para que le diera algo que él no tenía.

Tras esta revelación decidió que a partir de entonces cada vez que conociera a una chica, fueran cuales fueran las circunstancias, se interesaría por ella. Hablando con las mujeres se quedó atónito al descubrir cuántas habían sido violadas, cuántas estaban educando a sus hijos ellas solas, cuántas habían sufrido maltratos físicos, cuántas habían crecido en hogares donde el padre o la madre eran alcohólicos o habían tenido que dejar la escuela para ayudar en casa. Tras oír todas estas cosas, se le abrió el corazón. De pronto sintió la llamada de apoyar y proteger a las mujeres. Se instruyó en los temas relacionados con las mujeres y fue uno de los puntales para abrir un centro de acogida para mujeres maltratadas. Al final se casó con una mujer que no tenía ninguna de las cualidades que estaban en su primera lista. La escogió porque, al igual que él, estaba comprometida con la causa de ayudar a las mujeres.

A diferencia de Jack, que esperaba que todo llegara a él, quizá tu razón para no dar sea que crees que no tienes nada especial que ofrecer, que no puedes contribuir de una manera especial. No eres una estrella del rock ni un médico, ni un innovador en Internet, no has escrito una novela, construido un hospital, iniciado una tendencia o creado algún *software* original. Pero tienes miles de oportunidades para descubrir tus talentos, lo que puedes dar. No tiene por qué ser algo espectacular. Tal vez sea algo tan sencillo como poner un pie delante del otro.

Conocí a una mujer cuyo nombre he olvidado, pero a la que muchos recordamos como Peregrina de la Paz. En una etapa de su vida se dio cuenta de que lo único que le importaba era la paz en el mundo. Dio todas sus posesiones, se compró unas zapatillas de deporte y una sudadera y empezó a caminar por todo el continente. En su camiseta había escrito en letras grandes y blancas «Peregrina de la Paz». Algunas personas la veían pasar y le preguntaban por qué caminaba y ella respondía: «Por la paz». La gente se preguntaba dónde vivía. Ella les respondía que no tenía casa. Al ver su mensaje le ofrecían sus casas para pasar la noche. La Peregrina de la Paz encarnaba el mensaje de la paz. Caminar por la paz era su trabajo, y lo desempeñó hasta su muerte.

El propósito de tu vida

> Cuanto más te doy, más tengo, pues ambas cosas son infinitas.
>
> SHAKESPEARE

El servicio siempre está relacionado con el propósito. Como la Peregrina de la Paz, tú también tienes un propósito en la vida, una razón específica por la que has venido aquí. Sin embargo, a diferencia de ella, puede que todavía no te hayas levantado con tu propósito estampado en el corazón. A veces descubrimos ese propósito a una edad muy temprana, como en el caso de un niño prodigio que a los siete años se da cuenta de que ha nacido para ser pianista. Pero con frecuencia ser consciente del propósito de la vida, como de todo lo demás en lo que a ti respecta, es algo que se va desarrollando gradualmente. Para acelerar ese proceso de descubrimiento hemos de tener en cuenta algunas cosas.

En primer lugar, el propósito de tu vida está esperando a que lo descubras en tu interior. Es como un roble, que espera comprimido dentro de la semilla. Ahora no puedes verlo, pero con el paso del tiempo y con los nutrientes de la tierra acabará creciendo. Lo mismo sucede con tu propósito. La mayor parte de las personas piensan que su meta en la vida es algo que no pueden ni tan siquiera imaginar, que un día caerá del cielo y les dará un gol-

pe en la cabeza, pero, curiosamente, al igual que el roble contenido en la semilla, éste existe. Lo que es aún más interesante es que
el propósito de tu vida no será algo que puedas imaginar, algo
que se aparte de tu camino, sino con toda probabilidad será algo
relacionado con tu «herida». Lo que quiero decir con esto es que
de alguna forma tiene que ver con las cosas que más te han doli-
do en tu vida, las que han constituido tu tema, lo que ha hecho
que te cueste tanto quererte.

Mi amiga Lisa se sintió abandonada de pequeña por su padre, que era director ejecutivo de una importante compañía.
Además, su madre estaba mentalmente desequilibrada y siempre
les decía que su casa sería invadida por alienígenas y que el polvo
interestelar les estaba envenenando. Toda esta situación le provo-
caba tanta angustia que padecía graves eccemas. Sus manos y
brazos estaban cubiertos de pequeñas úlceras que le producían
picores. Cuando se rascaba, sangraba y se le abrían las heridas en
las manos y los brazos.

Cuando creció, Lisa siempre estaba preocupada por su piel.
Creía que nadie la querría por su piel de «cocodrilo». Sentía que
tenía que esconderla. Durante mucho tiempo estuvo tan convencida de que era una paria que padeció agorafobia y era incapaz de
salir de casa. De ese modo seguía confirmándose que no era digna de que nadie la amara.

Cuando identificó el tema de su vida —abuso emocional y
abandono— y desveló las dolorosas circunstancias que había tenido que vivir, empezó a sentir compasión por esa niña aterrori-
zada, que temía que su sistema nervioso reaccionara con eccemas
y que sus emociones le produjeran agorafobia. Empezó a tratarse la piel y ésta respondió a su amoroso cuidado. En lugar de
odiarla, comenzó a cuidarla con un cariño especial. También empezó a ser consciente de que había otras personas que padecían
patologías similares. Con el tiempo se hizo esteticista, nada menos que alguien que trata y cuida la piel. Ahora hace más de veinte años que cura a personas que padecen los mismos problemas

de piel que tuvo ella u otros similares. Muchas veces también trabaja como voluntaria asistiendo a víctimas de quemaduras. Ha hecho de su herida un don.

Tu don y el propósito de tu vida están relacionados, al igual que en el caso de Lisa, con tu sufrimiento pasado. Si te preguntas cuál podría ser el propósito de tu vida, no te preguntes qué es lo que tendrías que forzarte a hacer, sino qué es lo que no puedes evitar hacer.

¿Qué es lo que te surge de forma natural? ¿Organizar a los demás, escuchar, cuidar de los enfermos, diseñar casas, contar cuentos, leer libros? Si observas detenidamente, es probable que descubras que lo que te gusta hacer tiene que ver con tu herida: tu madre era una cabeza de chorlito, de modo que en vez de tener una madre tuviste que cuidar de tus hermanos y hermanas menores; nunca conseguías que tu padre te escuchara; conoces el dolor de que no te escuchen; tu abuela, la única que realmente te quería, se puso enferma y murió en tu casa; a tus padres les encantaba cambiar de ciudad, siempre les estabas diseñando una casa que les gustara lo bastante como para quedarse en ese lugar; tu madre era alcohólica y tú te escondías en tu habitación leyendo libros. También verás que cada una de estas adaptaciones a tu herida se puede traducir en una hermosa expresión de tus talentos —ser directiva, psicóloga, enfermera, arquitecto, autora o editora— y ello, según cómo lo apliques, también puede constituir una forma de servicio sagrado de por vida.

Si te preguntas cómo puedes aplicar tus talentos para que rindan al máximo, pregúntate hacia qué tipo de persona, grupo o comunidad te sientes atraída. ¿Te gustan los niños? ¿Te gustan las personas mayores? ¿Te vuelven loca los animales? ¿Te apasiona ayudar a los pobres? Es muy probable que aquello por lo que te sientes atraída sea donde mejor fluirá tu energía y donde ofrecerás tu mejor servicio.

Ante todo, simplemente pregúntate: ¿qué es lo que mi corazón me invita a hacer? Servimos mejor donde nuestros sentimientos son más fuertes. ¿Te gustaría trabajar en un hospital de un suburbio, aunque todos tus compañeros de económicas piensen que estás loca? ¿Ser artista, aunque hayas estudiado empresariales? ¿Ser bailarina, aunque hayas estudiado derecho? Ganar un millón de dólares y regalarlo, aunque tu padre te enseñara que el dinero es el germen del mal. Escucha lo que te diga tu corazón, deja que te lleve adonde quiera llevarte.

Recuerda que lo que das no tiene por qué ser algo grande. Hacer de voluntaria en un centro de mujeres maltratadas, en la sala de enfermos terminales de un hospital, elegir a un mendigo o una esquina donde suelan reunirse mendigos y darles un dólar cada día. Escribe a los diputados, al presidente del gobierno, protesta por la guerra, educa a los demás, sé el ser humano más amable, elevado y amoroso que puedas ser en todas las situaciones, en cada minuto de tu vida. Lucha para que construyan una autopista, salva a las ballenas, salva el mar, recoge la basura que otros tiran en la carretera o en tu calle. lee para los ciegos, acompaña a los moribundos, reza, alza una bandera, canta.

El mundo está lleno de sufrimiento. Nunca habrá suficientes hombros para recibir todas las lágrimas que necesitan consuelo. La gente pasa hambre, está sola y tiene miedo. Da dinero y alimentos, ofrece tus manos, tus brazos y tu corazón. Concédeles tu tiempo, préstales tu atención, dales tus bendiciones. Cuando haces cosas buenas por los demás, experimentas tu propia bondad; cuando das tu amor, tu corazón se llena de amor. Y si alguna vez te preguntas si eres lo bastante bueno para hacerlo, darlo o compartirlo, sea lo que sea, hazlo, dalo, compártelo. Pues cada vez que das, recibes. No lo que has dado, sino a ti mismo.

9

Vivir con autocompasión

«Debemos intentar amarnos con generosidad.»

SHARON SALZBERG

En algunas tradiciones se dice que el éter está lleno de almas que están esperando nacer, que se les invite al baile, que se les convoque en la Tierra. Tu alma recibió la llamada. Fuiste elegida. Ése es uno de los mayores privilegios. Es un privilegio porque Dios, o como quieras llamarle, decidió que te merecías el viaje, que eras digno de que se te diera la oportunidad. Si la fuerza de la vida te amaba lo suficiente para dártela, ¿cómo es que no puedes amarte? ¿Por qué no puedes vivir con compasión?

La compasión es una gran palabra, que contiene la palabra «pasión». La pasión es un sentimiento profundo. Cuando vivimos con pasión vivimos... como si nuestra vida dependiera de ello. Seguimos el camino que nos marcan nuestros sentimientos más fuertes; nos comprometemos en serio con las cosas; vivimos, damos, amamos. Encontramos lo que alegra nuestro corazón, lo que eleva nuestro espíritu y nos dedicamos a esas cosas.

La compasión es vivir con la misma intensidad de sentimiento frente a los sufrimientos de la vida. Generalmente, la consideramos como una actitud que adoptamos con los demás. Cuando vivimos con compasión, el sufrimiento ajeno no nos pasa inadvertido. Estamos atentos al mismo. Lo sentimos como si fuera nuestro. En lugar de evitarlo, de darle la espalda al dolor, a la angustia y a la decepción que sufre otro ser, nos introducimos en su círculo de sufrimiento y respondemos a sus necesidades. Nos «compadecemos», y gracias a esta riqueza de sentimientos, también podemos dar.

La compasión por los demás suele preceder o a veces desplazar a la que sentimos por nosotros. Quizá quede registrado porque tenemos delante el sufrimiento del otro. Ésta es la razón por la que el parapléjico en su silla de ruedas o el ciego con su perro guía llegan a nuestro corazón y respondemos con sentimientos, palabras o acciones.

Pero incluso el buscador espiritual avanzado del que he hablado en el capítulo 1 dijo que sólo cuando su maestro le preguntó si sentía compasión por sí mismo se dio cuenta de sus limitaciones para amar. Tal como él mismo observó, no solemos extender la compasión que damos a los demás a nosotros mismos.

Como hemos visto, existen muchos motivos, pero quizás el más importante sea que todavía no somos capaces de sentir que nuestro sufrimiento merece el mismo amor y la misma bondad que manifestamos con los demás. Nuestra vida nos resulta tan familiar que no podemos salirnos de ella y vernos con los ojos de la compasión. Por el contrario, lo que hacemos es intentar dispersar nuestra angustia diciendo: «Esto sucedió hace mucho tiempo», «Así son las cosas» o «Así soy yo». Hemos vivido tanto tiempo con nosotros mismos que no podemos ver nuestro sufrimiento. Creemos que las cosas son así.

Imparto muchos talleres en los que los asistentes trabajan con sus emociones delante de otras personas. Muchas veces he observado que incluso después de una sesión tremendamente conmovedora en la que todos los participantes habíamos acabado llorando con el relato de una persona, más tarde, por ejemplo, esa misma persona, a la hora de cenar, cuando todos comentaban su historia y se solidarizaban con ella, decía cosas como:

«¡Bueno, mi vida no es tan mala como la de Janet, la de Joe o la de Barbara!» No cabe duda de que eso puede ser cierto, pero la cuestión es que incluso después de experimentar situaciones en su vida que merecen su amor, con frecuencia las personas adoptan una postura de suficiencia y niegan que lo necesiten. Nos cuesta vernos con compasión. Hemos vivido con nuestros pesares toda la vida y estamos tan acostumbrados que ni tan siquiera los percibimos.

Por esta razón, la senda hacia la autocompasión siempre es un proceso, doble, además, porque no consiste sólo en los pasos que has de dar en el plano material para llegar hasta él, sino también en los que has de dar en tu conciencia. Has de dar todos los pasos: hablar, actuar, hacer limpieza e iniciar el camino, pero también has de mantener la firme convicción de que la compasión por ti mismo es un destino al que has de llegar, tanto en lo que respecta a tu personalidad como a tu alma. Es un viaje simultáneo de acción y convicción. Del mismo modo que los surcos del desprecio han quedado grabados con el tiempo, que año tras año te has herido con comentarios desagradables, te has agotado con cientos de pequeñas acciones de descuido físico, has traicionado tu espíritu con un montón de relaciones abusivas, el camino real que te conduce a amarte, *le beau chemin*, también se construye con miles de pequeñas aportaciones.

En última instancia, la compasión se basa en una serie de decisiones, en apartarnos conscientemente en cada momento de aquello que perjudicará nuestro espíritu y acercarlo a lo que lo nutrirá y lo ayudará a florecer. Se trata de escoger en todas las situaciones tratarte bien o mal, negarte a ti mismo o quererte como querrías a tu hija o a tu mejor amiga. La compasión por uno mismo consiste en verte con cariño, ser consciente de tu propio sufrimiento y, con el tiempo, profesarte un profundo respeto por haber sido capaz de transformarlo.

El camino hacia las termas de Gaza

El año pasado hice un viaje extraordinario. Para celebrar todos nuestros años de amistad, mi amiga Rebecca y yo decidimos ir a Bután, un pequeño país situado en el Himalaya, al que a veces también se le denomina Shangri-la. Mientras planificábamos el viaje me enteré de la existencia de las termas de Gaza, unas termas sagradas situadas en lo alto de las montañas, lugar al que acude la gente en busca de un rejuvenecimiento físico y un renacer espiritual. Le dije a Rebecca que no quería perderme la visita a las termas —un recorrido de cinco horas a pie, según la guía que estábamos leyendo— por ningún motivo, así que las incluimos en nuestro itinerario.

Cuando llegamos a Bután nos encontramos con los dos jóvenes que iban a ser nuestro guía y nuestro chófer. Después de pasear durante todo el día, nos dejaron en el hotel y nos dijeron que al día siguiente viajaríamos a las montañas, acamparíamos allí y a la mañana siguiente iniciaríamos el *trekking*.

Habíamos cruzado medio mundo en avión, estábamos cansadas y no nos apetecía empezar a andar tan pronto. Antes de quedarnos dormidas esa noche decidimos que al día siguiente les diríamos que preferíamos posponer nuestro *trekking* o incluso cancelarlo. A la mañana siguiente, cuando llegó nuestro guía, intenté decírselo, pero incluso cuando se lo estaba diciendo sentía una gran pena por perderme las termas, sobre todo porque nos había dicho que, dada nuestra apretada agenda, si no partíamos ese día no tendríamos oportunidad de verlas. De modo que, finalmente, a pesar de estar agotadas por el cambio de horarios y de no haber dormido lo suficiente, las dos decidimos ir. Tras más de cuatro horas de conducción, llegamos al sitio de acampada.

Tomamos una deliciosa cena que había preparado nuestro cocinero a la luz de una vela, dentro de la tienda, y nos mostraron otras dos pequeñas tiendas situadas en la zona más irregular y embarrada de la ladera de la montaña. Con suéteres, mallas, pantalones, guantes y gorros forrados de borreguillo y con dos pequeños paquetes de calor químico para mantener las manos calientes, pasamos la noche como pudimos sobre el rocoso y embarrado suelo. A la mañana siguiente el guía y el conductor estaban listos para iniciar el *trekking*. Hacía un día espléndido. El sol brillaba alto sobre los picos de las majestuosas montañas, dándoles un color verde esmeralda. Estaba agotada, pero deseaba visitar las termas, que según había leído se encontraban en un valle que estaba a casi tres mil metros de altitud.

El camino era estrecho y todavía estaba embarrado por los monzones de verano, pero las vistas y la vegetación eran exuberantes. Estaba contenta de haber ido. Todavía era temprano y ansiaba que llegara el mediodía para disolver nuestras preocupaciones en las aguas termales. El camino se fue haciendo más empinado. A veces parecía ascender casi vertical hasta las nubes. Tenía que pararme de vez en cuando para descansar.

El sol del mediodía daba de lleno. Empezaba a tener calor. Mientras caminábamos fuimos bebiendo agua de las botas de piel de camello que llevábamos colgadas a nuestras espaldas. Curva cerrada tras curva cerrada avanzábamos como podíamos, parándonos a esperar a que la encantadora gente butanesa con sus caballos cargados a rebosar con bolsas llenas de suministros pasara por el sendero paralelo, conduciendo sus bienes a su hogar.

Después de andar cinco o seis horas nos detuvimos en una amplia pradera verde donde había un *chorten*, una escultura religiosa hecha de varias formas cuadradas y redondas agrupadas una encima de la otra en cierto orden. El cocinero nos ofreció zumo de mango envasado y empezó a preparar la comida. Al otro lado de la pradera el jinete que conducía nuestros cuatro caballos con suministros descansaba y hablaba con nuestros guías.

Mientras estábamos allí descansando llegaron otros caminantes que venían en dirección contraria. Rebecca se detuvo para hablar con ellos. «Termas», oí que decía, y les vi mover la cabeza en gesto de asombro o de incredulidad, no estoy segura.

Me quedé descansando sobre la hierba hasta que nos sirvieron el almuerzo. Disfrutamos de nuestra comida, que consistía en pollo, verduras y arroz, degustándola con tranquilidad y con la esperanza de relajarnos en las aguas termales en el plazo de una hora.

Después de comer reemprendimos la marcha. Ahora estaba cansada. El zumo de mango, es decir, azúcar puro, se me había subido a la cabeza. Tuve que pararme a descansar varias veces para poder seguir. Delante de mí iban mi amiga y su guía haciendo carreras, adelantándose a turnos. Tras cada descanso mi guía y yo acelerábamos. Caminamos durante horas. Pasamos por escuelas, campos de arroz, casas butanesas típicas pintadas de colores y con banderillas de oraciones colgadas para que se movieran con el viento. Estaba preocupada. En realidad se suponía que ya teníamos que haber llegado. Sin duda alguna, habíamos caminado más de seis horas. El sol empezaba a ponerse por el oeste. La temperatura comenzó a bajar y, al poco rato, cuando volví a mirar hacia arriba, el sol se había desvanecido por completo. Las nubes grises cubrían el cielo. «¿Crees que lloverá?», le pregunté al guía, y me aseguro que era imposible.

Cuatro horas después todavía seguíamos caminando. Por aquel entonces, Rebecca y su guía hacía rato que habían desaparecido. La llamé y no respondió. Se puso a lloviznar y a oscurecer. Acabó oscureciendo. Empezó a llover con más intensidad. Rebecca y yo llevábamos capas para la lluvia y linternas, pero estaban en nuestro equipaje, que en esos momentos se encontraba a algunos kilómetros de distancia, en los caballos. Para entonces ya llovía fuerte, es decir, caían chuzos de punta. Curiosamente, empecé a sentirme más fuerte, porque los efectos del zumo de mango se habían desvanecido, la comida ya había bajado. Ya era noche oscura y apenas podíamos ver el camino. Algunas piedras se desprendían de la ladera y bajaban rodando por la lluvia, caían sobre nuestros zapatos, bloqueaban el camino. Como apenas podíamos ver, mi guía y yo tropezamos. Sólo contábamos con la luz de la media luna que nos guiaba y que esporádicamente se reflejaba en los envoltorios plateados de chicle en los papeles de caramelos esparcidos por el camino como si fueran migas.

En ese momento el guía me confesó que nunca había guiado esa excursión, aunque sí había estado una vez en las termas, hacía muchos años. También me dijo que le había dicho al jinete que se adelantara y que luego volviera a buscarnos, pero no había rastro de él. Había desaparecido en la noche. Nos encontrábamos en alguna parte del Himalaya a miles de kilómetros —eso parecía— de cualquier sitio, agotados, sin la menor idea de cuánto nos quedaba para llegar a nuestro destino. Empecé a darme cuenta de que las personas con las que había hablado mi amiga antes —las que movieron la cabeza— probablemente venían de allí y sabían lo lejos que aún estábamos de nuestra meta. Nos dimos prisa en la oscuridad de la noche. Me había torcido el tobillo una docena de veces y me preocupaba no poder continuar. Pero seguí caminando, dando pasos, poniendo un pie delante del otro, levantándome cada vez que me caía y manteniendo mi visión en las termas, creyendo que en alguna parte, al final de ese sendero —que nunca había recorrido antes, en medio de esas montañas, desconocidas para mí— habría algo maravilloso.

Por fin, después de doce horas y treinta y dos kilómetros, bajo una lluvia intensa, llegamos a las termas de Gaza. Allí, en la habitación de la planta superior de un antiguo edificio de madera, mi amiga Rebecca nos estaba esperando. Había esperado sola en la oscuridad durante dos horas, mientras su guía se había adelantado en busca de ayuda. Cuando regresó, estaba tan cansada y asustada por haber esperado tanto tiempo que la tuvieron que llevar a cuestas hasta el campamento. Estaba convencida de que mi guía y yo habíamos muerto en la tormenta o nos habíamos despeñado. Mojados y cansados, con barro hasta las narices, pero victoriosos, nos sentamos todos juntos para contarnos nuestras historias y beber el té indio que había preparado el cocinero.

Al día siguiente nos sumergimos en las aguas termales durante horas mientras la suave lluvia caía contra el tejado del edificio que las albergaba. En este sagrado valle del Himalaya, la blanca niebla envolvía los árboles y nuestro sufrimiento iba desapareciendo. Estábamos en remojo, bebíamos té y comíamos galletas, tuvimos conversaciones maravillosas y dimos gracias por nuestra fortaleza y perseverancia. Nuestro viaje había ido mucho más lejos y había sido mucho más duro de lo que las dos habíamos imaginado, pero ahora teníamos la bendición del dulce fruto de nuestro esfuerzo.

Perdida en las montañas, esperando sola en la oscuridad para que el guía regresara con una linterna, mi amiga había aprendido la ecuanimidad. En mi largo y arduo camino bajo la lluvia hallé una fortaleza y una resistencia físicas que jamás había creído tener.

Tu viaje

Tu viaje a la compasión por ti mismo es como mi *trekking* por el Himalaya. Comienza con el sueño de llegar a un destino —quererte—, pero antes de emprenderlo es posible que encuentres algunos obstáculos. Al igual que nosotras, tal vez pienses en abandonar lo que más deseas hacer. Pero luego, animado por algunas misteriosas fuerzas —un guía interior que no dejará que abandones— y porque tu alma realmente quiere hacerlo, te entregarás a tu camino.

Emprenderás el viaje y lucharás contra las caídas y los pasos atrás, contra las complicaciones y los desvíos. Como nuestro viaje a las termas, también merece la pena que emprendas tu viaje para amarte. Lo sabrás cuando llegues. Lo sabrás cuando, después de todo el sufrimiento, la confusión, el esfuerzo y el valor, por fin puedas pensar en ti mismo, cuidarte, hablarte, actuar y soñar. Lo sabrás cuando vivas con el poderoso y bello sentimiento de saber quién eres, cuando tu corazón sepa que te mereces realmente su compasión.

Una oración para la autocompasión

Sé paciente con todo lo que todavía no se ha resuelto en tu vida.
Aprende a querer las preguntas, hasta que un día,
sin darte cuenta, vivas en las respuestas.

RANIER MARIA RILKE

Mientras sigas cada uno de estos pasos aprenderás a quererte. Ahora, mi último consejo es que crees una oración para tu camino, unas palabras que te den fuerza a lo largo del viaje.

En general, cuando oramos solemos hacerlo a algo que está fuera de nosotros, a un orden superior, a Dios, a una persona, a un ser que tiene el poder y todas las respuestas. Pero, dado que eres parte de la totalidad, Dios, fuerza, poder y respuestas forman parte de ti. Por esta razón, te animo a que dirijas tu oración no a Dios, que está allí fuera, sino a ese yo que hay en tu interior. Pídete que puedas amarte y respetarte.

Cuando era pequeña mi padre solía repetir una oración para mí el día de mi cumpleaños. Cuando quiero recordar que he de amarme, recupero la belleza de su oración y la utilizo para inspirarme. Con el espíritu de ese adorable regalo, te ofrezco esa oración.

Querido/a _____,

Te ruego que me acojas tiernamente bajo tu cuidado. Que me respetes y me quieras, que te alegres de todos mis dones y poderes, que me consueles en los momentos difíciles, que llenes mi corazón y agrandes mi alma, que me conduzcas por el camino del servicio para que pueda cumplir mi propósito en esta tierra.

Que todos los días sea consciente de mi integridad, de que soy querido, de que soy adorable.

Amén.

Puedes usar esta misma oración o escribir la tuya como simple recordatorio para que te ayude en el camino.

¡Ahora, quiérete!

Quiérete sin condiciones. Ama tu sorprendente y bello cuerpo. Ama tu complicada y maravillosa mente. Quiere a tu corazón y a todas sus exquisitas emociones. Ama tu espíritu eterno.

Cuídate todos los días, cada minuto. Acógete en el amor de tu buen corazón. Recoge tu cuerpo cada noche cuando vayas a dormir y despiértate en la luz de tu hermosa alma cada mañana.

Mi deseo más profundo es que estas páginas te hayan ayudado a aprender a cuidar, nutrir y llenar el corazón, el cuerpo, la mente y el alma de ese yo único, irrepetible y exquisito que eres.

Sobre la autora

Daphne Rose Kingma es psicoterapeuta y conferenciante, dirige talleres y realiza cursos sobre las relaciones humanas como una forma de espiritualidad. Apodada «doctora Amor» por el *San Francisco Chronicle*, es autora de once libros sobre el amor y las relaciones, entre los cuales cabe destacar *Coming Apart, Encontrar el verdadero amor, The Future of Love* y *La química de las relaciones amorosas*. Es una de las invitadas habituales del programa de Oprah Winfrey y sus libros se han traducido a más de una docena de idiomas.

Puedes escribirle al daphnekingma@daphnekingma.com o inscribirte en algunos de sus talleres o conferencias en New Directions, P. O. Box 5244, Santa Barbara, California, 93150.